冰如劍 著
唐尼宇 繪
BUZZER BEATER
最後一擊
傳奇 2

推薦序
追逐夢想，就是要永不停歇

熱血NBA作家 HBK

說來有趣也帶一點驕傲，我會認識冰如劍是在二〇一三年的八月，他私訊我的粉絲團，分享了一段他所寫的小說內容，並且告訴我，我所寫的每一篇文章都觸動了他內心籃球熱血炙熱的魂魄，讓他想繼續做他的籃球夢，即便不可能像林書豪一樣打進NBA，但至少能寫一篇動人心弦，彷彿自己置身於故事中的熱血籃球小說，用文字的力量感動他人，讓愛籃球的夢能延續下去。

那時我得知他正在當兵，且還是擔任勤務很多的憲兵，他所寫的小說都用自己放假時間埋頭苦幹地在寫文與構思劇情，當時我就在想，這個年輕人到底有什麼問題？通常當兵放假就是出外遊玩放鬆自己，他反而是在休假時，繃緊神經絞盡腦汁在寫作，整個陶醉於自我的世界裡，展現出樂此不疲態度。

雖然我們兩人之前完全不認識，也未曾見過面，但我由衷地被他的堅持所感動，也對於這位小粉絲印象深刻，並鼓勵與期許他能真正完成自己在寫作上的夢想，即使這條路並不好走又坎坷，還是希望不要輕易放棄。

而我們兩人接下來就中斷聯繫，相隔將近一年，在二〇一四年的七月中，我又在我堆積如山的私訊收件夾裡看見一個有點熟悉的名字，點開來看，恍然大悟，這不就是去年立志要當小說家的年輕人嗎？

很快地，發現我當時深怕他半途而廢的想法根本是多慮了，他開門見山地告知我他已經退伍，並且他的小說已經開始在連載，分享一個叫做「POPO 原創」的線上創作網站給我，那裡充斥著許多優秀的華文創作者，有琳琅滿目的類型，而我在其中一個項目裡，看到一本名為《最後一擊》的作品排在排行榜前端，作者就叫做冰如劍。

再點進去，看到總字數來到五十幾萬，已經累積了不少死忠的讀者，真的不由得會對他感到驕傲，甚至自嘆不如，在追夢的過程裡，我眼裡的這年輕人比我還要堅毅與執著。

深入再談，他告訴我退伍後他每個禮拜至少要寫幾萬字的內容，強烈鞭策要求自己要做到，打工回家就是寫文，且在夢想成為作家的路上他與家人鬧得並不愉快，但他為了堅持自己的夢想，離開老家台南到台北，住在一個加蓋的鐵皮屋裡，在夏天炎熱高溫猶如烤箱的環境下，他仍能持之以恆完成他對於讀者每週更新的期待，真的能深刻了解與體會，他是真正燃燒熱情在享受這追夢的過程。

俗話說，一個有決心和擁有清晰目標的人，他們會時時刻刻砥礪自己要抓緊夢想，不僅僅牢牢記住在心坎裡，一刻也不與它分開，還要永不停歇地去追逐。因為夢想對於他就像吃飯、睡覺一樣重要，要把這滿腹的凌雲壯志化為動力，而不只是淪為空談，全力以赴不給自己留下遺憾，在我眼裡，冰如劍就是這樣子的築夢者，真的很讓我欣賞，我們也因此成為好朋友。

這本書，《最後一擊》，我能說這是我看過最熱血的籃球小說，就我自己也常在寫文、不時會買書來閱讀，以及我同樣是深愛籃球愛打籃球的人，《最後一擊》真的可以勾起心中對於籃球的熱魂，就好像在看一場精彩的比賽一樣，讓人欲罷不能想看下去，且能聯想到很多東西。

啟南高中就好像 NBA 裡六〇年代的波士頓塞爾提克，十三年內拿下十一座總冠軍，包含不可思議的八連霸，統治了當時整個籃球界。而啟南高中，三十年二十次冠軍，一句「啟南王朝，無可動搖」，這也會讓人聯想到《灌籃高手》裡的山王工業，連續三十年都是秋田縣的第一種子，他們不僅僅是「常勝」，而是到了「不敗」的地位，直到他們遇到了湘北高中。

光北高中就彷彿是湘北高中，像流星一樣璀璨地一閃而逝，擊敗了可說是無敵的啟南高中，但結局也與《灌籃高手》的湘北高中神似，遭逢主力受傷，下一戰已氣力放盡，神奇之旅也就此畫下休止符。

李明正的籃球夢，就交由自己的兒子李光耀來繼承，在籃球已沒落的光北高中裡，他自信滿滿要掀起一股革命與復興的浪潮，而從他那鋒芒畢露的球技、桀驁不馴的個性上，很有 Kobe Bryant 或者是 Allen Iverson 的影子存在，他們的共通點都是，享受挑戰、證明自己、打爆眼前所有對手，相當迷人的英雄特質。

而更有意思的是，要復興光北高中，光靠李光耀是不夠的，他得組一個團屬於光北高中的「正義聯盟」，他必須招募自己的左右手，一樣與他熱愛籃球，並有著想化腐朽為神奇的鬥志，願意一起有共同目標的隊友。

你可以看看一個只會投三分的超級神射「王忠軍」，一個不會打球但擁有極佳身材的門神「麥克」，以及之後陸續加入的隊友們，每個人都有自己的故事和各自對於籃球的牽絆，這也是整個小說的迷人之處。

所以如果你也愛籃球，《最後一擊》怎麼可能不會吸引你？有著太多讓人熱血與共鳴的籃球精神與記憶，且最重要的是，從文字裡，你可以感受到冰如劍他對於籃球的愛與熱情，這是只有真正愛籃球的人才寫得出來，一個裝載著他靈魂的精彩之作。

相信我，閱讀《最後一擊》，會時常令你想拿起球就跑去球場鬥牛，光是這一點就能證明這個故事有多迷人，能夠燃燒著你我對於籃球的激情，讓我非推薦給大家不可。

冰如劍本人也是整個故事精神的縮影，值得大家去學習效法，追逐夢想，就是要永不停歇。

推薦序

從最後一擊　看懂 WE WILL 精神

星裕國際總經理　王立人

當《灌籃高手》和《影子籃球員》成為當代經典籃球動漫，相信大家更驚喜可以看到從台灣學生籃球出發的《最後一擊》，不同動漫的是，學生籃球聯賽的熱血、執著、激情與感動透過文字力量被闡述出來。除了其中的友情、親情和純愛故事外，推薦看這部小說的原始動力絕對是，夢想。

光北高中，一支原本不被看好的隊伍，一路從丙級打到乙級，再打進象徵高中籃球最高殿堂的甲級聯賽，靠得不是天分、不是機運，而是比別人更殘酷的訓練內容，以及對勝利的極度渴望。在球場上展現超強能力的李光耀，連隊友都不知道他每天早上四點就摸黑起床練球，週末沒練球時間也堅持到公園自我訓練，李光耀的自信、球場上的每一個好球都是由背後無數艱辛訓練助攻而成，我想要拿 UNDER ARMOUR 最常鼓勵正在挑戰夢想的人一些正面金句送給大家：看得見的閃耀，來自黑暗裡的淬煉。

也許這樣的夢想故事正發生在台灣某個角落，UNDER ARMOUR 秉持著「讓運動者更強」的品牌理念加入 JHBL 國中籃球聯賽，便是要全力支持學生球員勇敢追夢，築夢踏實，總有一天，大家對運動的一切努力能被看見，WE WILL。

推薦序

大聲說出你的夢想，敢於投出你的「最後一擊」

《極力誌》聯合創辦人　王偉鴻

每個人的心裡，都收藏著一個不為人知、不敢大聲說出來，以及還沒有勇敢去完成的夢想。有人想成為籃球員、有人想環遊世界、有人想當個作家、有人想當個演員、有人想……是的，很多人都停在「想」這個階段。對於夢想，有多少人能有自信地大聲說出來，不懼艱辛地去追尋？

二〇一五年五月，《最後一擊》作者冰如劍毛遂自薦，將《最後一擊》投稿到《極力誌》，編輯們看過故事大綱及部分故事內容後，便決定邀請冰如劍做連載。事實上，《極力誌》看到的，不單是《最後一擊》的故事，還有看到冰如劍的故事。一個年輕人，為了「作家」這個夢想，勇敢地踏出第一步，努力地開創自己的路。

《最後一擊》的故事好看與否，交由讀者自行判斷，我們不做評論。但至少《極力誌》的編輯們看不到有什麼不妥的地方，既然如此，何不給這位充滿幹勁，努力追尋夢想的小伙子一個平台、一個機會，讓他的作品得到更多人的欣賞？

「我以後要成為全世界最強的籃球員」這句話，經常掛在主角李光耀的嘴邊，曾幾何時，也一度掛在自己的嘴邊。而現實的結果，就不用多談了。《最後一擊》讓我想起讀書時，跟籃球隊隊友們在球場上一起揮灑汗水、一起努力練習，互相扶持的情景。我還記得，當大家練習完後倒在學校的球場上，看著夕陽西下的天空，還有訓練後到便利店搗亂的嘻哈日子。那時我們沒有想太多，就只是想專注地去打好每一場比賽。我們什麼都不怕，就只怕面對強勁的對手時，有人會退縮。我們挺起胸膛走入球場，不論結果，也要挺起胸膛走出來。

離開校園之後，經過社會洗禮的你，是否還有勇氣向其他人大聲說出你的夢想呢？還在猶疑是否該為夢想踏出第一步？當你看過《最後一擊》後，相信會讓你找回那青春歲月，重新找回當時無懼一切，充滿熱血幹勁的自己。

夢想並不可怕，就像主角李光耀一樣，自信地大聲喊出你的夢想，然後勇敢地踏出第一步，頭也不回地為夢想走下去。你在球場上投出要分勝負的「最後一擊」，結果會是什麼，沒有人知道；但重要的是，你敢於投出這「最後一擊」，才能看得到結果。在此祝願冰如劍及《最後一擊》能取得他應有的成功。

啊！還有，我的籃球夢沒有就這樣完結，就像李光耀的爸爸李明正一樣，只是用了另一種方式去繼續。我和冰如劍一樣，也是個不到三十，為夢想而努力的人。

推薦序

說書人　柳豫

你喜歡籃球嗎？

在談《最後一擊》之前，我想聊聊《灌籃高手》。

《灌籃高手》是我們這個世代的共同記憶，還記得當初動畫首播，正好是在我的兒童美語班放學時間，我總是學櫻木花道手刀衝刺趕回家，準時和湘北隊一起追逐稱霸全國的夢想，每次聽到片尾曲〈我只凝望著你〉就覺得哀傷，小時候娛樂並不多，在上學與補習的日常之中，《灌籃高手》就是每週支撐我活過七天的動力。

隨著年紀增長，重看了漫畫、動畫無數次，對這部作品的愛卻有增無減：十歲時最喜歡流川楓，沒什麼好說的，就是帥；二十歲最喜歡櫻木，喜歡那自信、無所畏懼、勇敢追夢的身影；三十歲最喜歡三井、赤木、木暮，因為他們讓我看到的不只是夢想，還有夢想與現實之間的掙扎。

如果你沒有看過這部漫畫，你大概不知道我有多麼羨慕你，並且不計代價想要和你交換，因為這樣就能再次體會第一次看到這部神作的感動了。

然而，我在《最後一擊》中竟再次看見這種感動——作為一部描寫籃球、青春、夢想的小說，無可避免地會讓人聯想到《灌籃高手》這道高牆，但《最後一擊》並未因此受到局限，反而創造出一部屬於台灣的高中籃球小說——你在書中不會看到流川楓、櫻木花道、赤木剛憲，不過，你將看到另一支讓人打從心底喜愛的球隊，看到王牌的光芒與團隊合作的光輝，看到夢想這條長路上，那些困頓、挑戰、歡笑、汗水和淚水。

我在《最後一擊》於網路上連載的後期開始追蹤收看，結果一發不可收拾，七天之內追上這部超過兩百萬字的長篇連載小說的最新章，作者冰如劍說故事的方式輕快而充滿魔力，讓人一邊陪伴、見證書中主角群的成長，一邊從他們身上得到滿滿能量，當你翻開小說的第一頁，你也將加入光北高中的這趟奇幻之旅。

你有夢想嗎？你喜歡籃球嗎？如果你喜歡，相信你會喜歡這個故事。

我誠心推薦《最後一擊》這部小說——我很喜歡，這是我的真心話。

推薦序

音樂創作者　陳零九

已經有點忘記第一次是在哪裡看到他的文字，冰如劍，這三個字讓我先入為主以為寫出來的內容會是武俠類的小說，我非常喜歡武俠的題材，當然他確實也是，我很喜歡冰如劍的另外一部長篇叫做《刀神》，非常非常喜歡，也推薦給大家可以去 POPO 原創閱讀，相信喜歡修仙武俠類的讀者們會很愛。

而另外一個跟冰如劍的連結應該就是籃球與 Kobe 了吧，我們都是創作人，而創作是孤獨的，需要跟寂寞獨處的，對應到 Kobe 的曼巴精神（自幹）應該或多或少有點關聯吧？哈哈說笑的，我覺得是因為很多有成就的人都會有他堅持的點，Kobe 是這樣，我跟冰如劍也是，那是屬於我們的領域，很多是無法妥協的，希望大家能夠接受一下我們的堅持（龜毛），也希望你們能夠細細品嚐每個創作人死了很多腦細胞跟無數個夜晚所產出來的孩子，裡面有很多很多我們對於這個世界的投射，等著你們來挖掘。

最後，還是要推薦一下，這部《最後一擊》是少數用籃球當作題材的小說，看著《最後一擊》，會讓我想到《灌籃高手》，仔細品嚐後，絕對會讓你有想要換上球鞋出去熱血一下的衝動，我發自內心地推薦這本小說給大家，也恭喜冰如劍，相信你未來會帶給我們更多更棒的作品，加油！

作者序

冰如劍

這是一部關於夢想與籃球的小說，除了鼓勵大家勇敢追夢，更多的是關於為自己的選擇負責，為自己的目標負責。

你想要完成夢想，就需要努力付出，甚至是做出犧牲，某些程度上，有點像是我自己追求作家夢的過程。

為了成為作家，我壓縮了生活品質，犧牲休閒娛樂活動，將所有的精神與靈魂投注在寫作上。如同故事中的各個角色一樣，為了實現夢想，當別人出門逛街、看電影時，他們選擇在籃球場上奔跑流汗，忍受著艱苦的訓練，就為了能夠在比賽中大放異彩。

所以比起追夢，我覺得這更像是一部「為自己的選擇負責」的小說，另一方面，也是在延續著我曾經純真的籃球夢。

我國中開始愛上籃球，因為深愛著湖人隊傳奇球星 Kobe Bryant，甚至夢想著到 NBA 這個籃球最高殿堂跟他交手，親身體驗他的實力到底有多強。

為了達到這個目標，每天晚上我總是騎著腳踏車到附近的球場，獨自練習投籃。有一段時間，即使寒流來襲，氣溫十度以下，我還是堅持著沒有放棄。

令人難過的是，我所付出的努力其實遠遠不足以幫助我到達 NBA，加上一些現實的因素，所以我的籃球夢，被家人狠狠地摧毀了。雖然早就猜想到自己這輩子都不可能走到那個地方，心裡還是不免有缺憾。

後來我遇上了寫作，才發現我對於文字的熱愛更甚於籃球，於是在某一天，我決定利用文字來彌補當時的那份遺憾，也因此有了《最後一擊》的誕生。

有人認為，作家會將自己投射在作品上面，在《最後一擊》裡，確實就是如此。不管是對於籃球或者人生，我都投注了自己的價值觀，我也把很多的「我」加進裡頭，將我認為籃球最精彩、最刺激、最吸引人的地方，毫無保留地放進去。

同時，我也放進了「選擇」，因為成為一個作家，正是一個非常自私、任性且固執的選擇。當我下定決心，轉身背對著眾人對我的期望，倔強地選擇往作家路前進時，我就告訴自己，要為了這個選擇負責，要為了自己想要到達的那個地方，付出更多倍的努力。

寫作跟籃球，感覺起來像是兩個完全不同的領域，可是有一個地方我認為是共通的，那就是即使付出再大的努力，最後都有可能是一場空。

籃球員只要經歷一次受傷，可能就會讓過往所有的努力白費，就像故事中的李明正一樣，即使如此，李明正卻沒有任何後悔或遺憾。

正如我一直告訴自己的，不管我的作家路走得如何，我最大的收獲，是我的人生將不會對此有任何遺憾。

曾經我的夢想被狠狠地摧毀，而這一次，我決定用最大的努力去守護著它，即使跌得再痛，我也甘之如飴。

或許，這就是專屬於追夢者的浪漫吧。

這是一部我發自內心寫出來的小說，我感動了自己，希望也能夠感動翻閱這本書的每一個你。

第一章

晚上九點半，「苦瓜哥，」蕭崇瑜開著車，視線專注在前方，「聽說總編輯不打算發加班費給我們。」

苦瓜深深吸了一口菸，「加班費的問題我會處理，不用擔心。」

蕭崇瑜小心翼翼地說：「有沒有加班費我是無所謂啦，只不過最近苦瓜哥你跟總編輯似乎有點不愉快？」

苦瓜看著車窗外不斷後退的景色，「沒事。」

「如果總編輯換苦瓜哥來當，雜誌社一定會煥然一新。」蕭崇瑜真心這麼認為。

苦瓜搖搖頭，「如果讓我這麼懶散的人當上管理階層，這家雜誌社一定很快就倒了。」

蕭崇瑜大聲反駁：「才不會呢，如果苦瓜哥你是懶散的人，怎麼可能會在總編輯沒有下達任何指令的情況下，下班後帶我這個菜鳥從北部殺下南部，只為了錄一場丙級聯盟的球賽而已？」

見苦瓜沒有任何回應，蕭崇瑜繼續說：「大家都知道辦公室裡面工作能力最強的就是苦瓜哥了，不用一個星期的時間，你就把之前混亂的高中聯賽資料歸檔完畢，還規劃好後續的行程，按部就班地執行，整個辦公室因為你開始認真工作之後都活絡了起來，氣氛跟以前完全不一樣。」

苦瓜沒理會蕭崇瑜的話，故意轉移話題，「明天球賽的地點查好了嗎？」

蕭崇瑜點點頭，「查好了，飯店到比賽地點的路線也一併查清楚了。」

苦瓜又吸了一口菸，「我傳給你的資料呢？攝影器材都檢查過了嗎？」

蕭崇瑜比出 OK 的手勢，「資料都按照頁碼順序放進背包內的 L 夾裡了，記憶卡、電池、充電器、連接線、筆電也都確認過了。」

苦瓜滿意地點點頭，「嗯。」

車子開下了台南交流道，蕭崇瑜依 GPS 的指示轉進不熟悉的街道，很快地便找到他所預訂的小飯店。順利辦好住宿手續後，苦瓜跟蕭崇瑜進到十五坪大小的房間裡，小心翼翼放好裝滿攝影器材的背包。苦瓜一坐下便拿出筆電，點開丙級聯賽的資料夾，新增了「賽前預測」、「賽後分析」兩個文件檔。

蕭崇瑜看苦瓜又埋首於工作中，「苦瓜哥，你這麼拚，不會累嗎？」

苦瓜搖搖頭，「如果你累了，可以先去洗澡睡覺，但是在那之前先泡杯咖啡給我。」

「是。」蕭崇瑜打從心底佩服苦瓜的工作態度跟拚勁。

自從光北籃球隊復出後，苦瓜好像將過往壓抑許久的能量一次爆發出來，總是第一個到公司，最後一個離開，認真的態度感染了其他人，雜誌社的工作效率也因此提升了三成，讓總經理嘖嘖稱奇。而一向對苦瓜極度不滿的總編輯因為找不到機會刁難他，整天擺著一張臭臉。

蕭崇瑜把咖啡放到苦瓜伸手可及的地方，「苦瓜哥，那我先洗澡了。」下班後接著開了數小時的車南下，他累到眼睛都快睜不開了。

花了十五分鐘的時間沖去一身疲憊後，蕭崇瑜換上舒服的睡衣從浴室走了出來，只見苦瓜依然坐在椅子上，雙手在筆電鍵盤上飛舞著，放在一旁的咖啡已經涼了，一口都沒喝。

蕭崇瑜看看時鐘，晚上十一點，他很想提醒苦瓜，明晚的球賽其實只是台灣丙級籃球聯賽，一個除非發生打群架事件，否則絕不會出現在任何體育版面上的最低層級聯賽，根本不需要這麼賣力地準備。不過蕭崇瑜沒這種勇氣，因為他知道如果提了，苦瓜一定會狠狠臭罵他一頓。

一直到晚上十一點半，苦瓜才停止手邊的工作，他將咖啡一口喝完，拿著菸跟打火機就走出去了，十分鐘後才又帶著滿身的菸味回房來。

「累了就先睡吧。」看著躺在床上努力睜開眼皮的蕭崇瑜，苦瓜如此說。

「是，苦瓜哥。」蕭崇瑜這才沒有繼續硬撐，一翻身，蓋上棉被，沒兩下子就沉沉睡去。

聽著蕭崇瑜均勻的呼吸聲，苦瓜搖頭笑道：「原來世界上還真的有秒睡這回事。」

苦瓜從後背包翻出換洗衣物，走進浴室，刷好牙之後站在蓮蓬頭下，他閉著雙眼，任由蓮蓬頭噴灑出來的熱水拍打著臉。他有多久不曾這麼努力認真，瘋狂地把所有的熱情投注在工作上了？以往他規劃活動、撰寫專欄、訪問球員，工作表現雖然總是可以得到公司高層的讚賞，他卻很容易覺得無聊，而且只要他負責的事情一結束，整個人就會變得軟趴趴的，做什麼都提不起勁。

不過現在不一樣了，他心中的熱情像熊熊火焰，隨著籃球聯賽開打日期逼近，燃燒得越來越旺盛，就算一天工作超過十個小時，隔天依然可以精力充沛地繼續埋首在工作中。

苦瓜很清楚自己會甦醒過來，都是因為光北高中的關係。

在苦瓜還是高中生的時候，他的成績很爛，對什麼事都沒興趣，也不在乎老師對自己的看法。那是一個茫然，找不到方向，自我封閉，不想理會周遭一切的年紀。

面對父母跟老師的疲勞轟炸，「不讀書考不上好大學只能去當工人」、「好好讀書才能到辦公室吹冷氣輕鬆上班」……苦瓜真的覺得很厭煩，所以他白天翹課，晚上吃過晚餐後就離開家，和一群跟他一樣翹課逃家、對未來感到茫然的高中生在撞球館瞎混。

抽菸，就是在撞球館裡學會的。

對於未來要做什麼，苦瓜當時也認真想過，但這個問題沒有困擾他太久，他的注意力很快就被撞球桌上響亮的撞擊聲給拉走。

日子一天一天的過去，苦瓜開始覺得整天泡在撞球館有點無聊。

某天，苦瓜和幾個同伴在外閒晃，偶然經過一間體育館，看到很多學生臉上帶著興奮的表情，好奇心趨使下，便臨時起意跟著人潮走了進去。

進到體育館後才知道原來那天有一場籃球賽，比賽的兩支隊伍分別是台灣最負盛名的籃球名校啟南高中，與名不見經傳的光北高中。

苦瓜跟同伴找了個視野較佳的位子坐下來，然後有意無意間從周遭觀眾聊天的內容發現，原來不只他，在場的觀眾大多都沒聽過光北高中，所以當下他理所當然地認定這將會是一場單方面的屠殺。

殊不知，這場比賽造成前所未有的轟動，也改變了他的一生。後來知道場上光芒萬丈的八號李明正跟他一樣是十七歲的時候，他的驚訝已經無法用言語形容。

李明正，一個來自無名高中的無名小子，在球場上所散發出來的霸氣吸引了所有人的目光，敵隊沒有任何一名球員擋得了他，號稱王者的啟南高中被他搞的狼狽不已，最後還以一分落敗。

當時的場面震撼了苦瓜，讓他首次感覺到自己蹺課逃家的行為多麼愚蠢且無聊，也讓他了解到一樣都是高中生，竟然有人可以在某個領域散發出如此奪目的光芒。

比賽結束後，他馬上衝到朋友家借電腦，查了光北高中跟李明正的資料。結果讓他非常失望，因為網路上幾乎查不到任何有關的資訊。

但李明正的出現已經在苦瓜心中埋下一顆種子，讓他開始接觸籃球，以近乎瘋狂的方式吸收所有關於籃球的知識。雖然很快地他發現自己沒辦法像李明正一樣在球場上叱吒風雲，但李明正的身影從此在他心中徘徊不去，成了他亟欲追尋的目標。

後來，他再也不翹課逃家，也不再去撞球館了，因為在他心裡除了籃球跟李明正之外，其他東西都裝不下了。

老師跟父母都訝異苦瓜的改變，雖然他的成績依舊沒有任何起色，但看到一個走上歧路孩子迷途知返，已經足以讓他們感到滿足與欣慰。雖然跟所有人預測的一樣，他最終沒有考上大學，但是在老師熱心幫忙介紹下，他當完兵後馬上找到了工作，扛瓦斯。

其實當瓦斯工人並沒什麼不好，雖然累了點，但錢賺得很快，只是這不是他想要的工作。他的心中裝滿了籃球，就算不能成為像李明正那樣優秀的籃球員，他也想要從事與籃球相關的工作。

在如此強烈渴求的心態下，他一邊扛瓦斯，一邊關注報紙上的求職欄，終於在半年後讓他看到了一則徵人廣告：**《籃球時刻》雜誌，徵求有志一同的編輯**。

這個小小的廣告被擠在報紙的一角，但是他注意到了，且完全沒有遲疑地打了電話約好面試時間。

面試當天，他穿上借來的西裝，把自己打理得非常體面，但面試的主管第一個問題就讓他答不出來。

「有沒有大學學歷？」

「沒有。」他照實回答，只見面試官的臉色變得不太好看。

「高中最拿手的科目是什麼？」

「沒有。」

他可以說謊，但他選擇說出事實。這時面試官不耐煩的表情已經非常明顯。

「你沒有大學學歷，高中也沒有特別拿手的科目，為什麼會想要來《籃球時刻》應徵？」

是啊，他沒有大學學歷，高中如果沒有老師的寬容也根本畢不了業，但是他有一個強而有力的理由，支持他非得找到一個跟籃球相關的工作。

「因為籃球。」

他將高中時期的荒唐行徑，以及如何碰巧看了人生第一場也是唯一一場籃球賽，還有從此之後對籃球產生了無法抗拒的迷戀，種種的過程鉅細靡遺地全都說給面試官聽。

說完之後，面試官盯著他看了好一會兒，似乎在思索什麼，最後點了點頭，「明天早上八點，準時上班。」

雖然不知道雜誌社的工作內容是什麼，但是得到這份工作還是讓他喜不自勝，充滿期待。第二天早上七點半他就到雜誌社報到了。

他自知學歷不高，除了扛瓦斯之外沒有任何工作經驗，所以除了加倍努力之外，沒有其他生存的方法。

一開始他常常做錯事，被指著臉大罵，但他總是第一個到公司，最後一個離開。

雜誌社的經營並不容易，尤其是專門寫關於籃球報導的雜誌社。當時台灣最受歡迎的運動是被視為國球的棒球，受重視的程度遠勝於籃球，加上《籃球時刻》只是一間剛創立的雜誌社，知名度低，雜誌銷量也少得可憐，因此薪水發的斷斷續續的，導致員工的流動率很高。但即使在這種艱困的情況下，有三個人始終待在雜誌社裡，老闆、總編輯和他。

公司經過幾年的載浮載沉，堅持提供給讀者公正且高質量的內容，加上幾位具有實力的籃球國手崛起後，籃球逐漸在台灣受到重視，《籃球時刻》的銷量才漸漸穩定下來，而且每年的營收都持續成長，就算其他雜誌社發現有利可圖，開始發行籃球雜誌，但因為《籃球時刻》起步早，內容又倍受讀者肯定，因此銷量完全不受影響。為了感謝苦瓜的不離不棄，老闆在雜誌社業績飛速成長時給了他一筆可觀的獎金，還讓他升上正式編輯的職位。

苦瓜不在乎獎金，但編輯這兩個字對他來說非常重要，因為這樣他才有權力使用公司的資源調查李明正的一切。然而結果卻讓他非常失望，除了當初擊敗啟南高中這個轟動一時的新聞外，幾乎沒有光北高中或是李明正的其他消息。

他不放棄，但也只查到李明正在受傷後前往美國治療的消息而已。

他不甘心，於是向總編輯報告，想要撰寫一篇有關李明正與光北高中的報導。想當然爾，這個提案被總編輯退回了。

「光北高中的報導已經沒有價值了，別浪費大家的時間！」

失望的情緒籠罩著他，但李明正會再度出現在台灣籃壇的期望支撐著他，讓他跟以前一樣認真努力地工作。

因為他什麼都不會，所以更認真去學，而且什麼都學，學的比任何人都多。

到後來，他已經成為雜誌社裡最不可或缺的人了，但即使他在事業上已小有成就，李明正依然沒有回來，而且高中籃壇再也沒有出現像李明正這樣的球員。

強烈的期望被時間消磨殆盡，苦瓜開始變得懶散，做什麼事都提不起勁。雖然後來籃球運動越來越受到重視，NBA 美國職籃也在台灣刮起旋風，但美國職籃畢竟只能透過電視觀看，跟可以親眼見到球賽還是有很大的差別。

曾經有段時間，他努力地在高中籃壇尋找與李明正相似的球員，可是期望一年一年地落空，李明正在他心中豎起了一道沒有任何人能跨越的高牆。

遲到早退開始變成一種常態，除了每年一二月的高中甲級聯賽能夠讓他稍稍振作一點，其他時候的他就像是一隻冬眠的熊，成天窩在辨公桌上一動也不動。

他對籃球還是有熱情，只是漸漸冷卻下來，沒有任何球員可以再次激起他對籃球的狂熱。

對於工作，他覺得無趣；對於籃球，他覺得失望。那時的他，人生似乎再次失去了目標，彷彿回到了茫然若失的高中時期。

之後因為雜誌社事業版圖擴大，老闆將總編輯升為總經理，總編輯這個位置因而空了下來，老闆本來有意升他當總編輯，但他一點興趣也沒有，老闆只好提拔另外一個人。

人生，不過這樣而已。

他開始自我放逐，所以早就想趕他走的總編輯，總是叫公司招募來的新人菜鳥們別靠近他，並且時常在總經理還有老闆面前講他的不是。

他心想，無所謂，就這樣吧。

不過苦瓜沒想到有一個菜鳥竟然傻傻地靠近他，跟著他學習，而且跟他以前一樣，什麼都不懂，所以什麼都學。

蕭崇瑜是這個菜鳥的名字，也是唯一被他認可的新人，而這個新人後來發現了讓他體內沉睡的那頭黑熊醒來的春季。

光北高中與李明正。

那一瞬間，感動與喜悅將他淹沒，冷卻已久的熱情被重新點燃，失望也變成希望，一切重回正軌。

讓他現在就像吃了毒品一樣，每天都興奮地期待著球賽的到來。

苦瓜心想，是啊，籃球就是一種毒品，讓他無法自拔的毒品。

★

晚上七點，台南某體育場的室內籃球場。

雖然是室內籃球場，但是地板的修繕做得不好，邊線、罰球線、三分線都有脫落的痕跡，中場的位置因為同時規劃成排球、羽球場地，為了區分不同的球類運動而貼上了不同顏色與樣式的線條，導致整個籃球場充滿著令人眼花撩亂的框線。

除此之外，似乎因為太久沒有使用的緣故，現場的音響設備壞了，好險現在是入座率最低，不會吸引任何球迷入場的丙級聯賽，所以在場除了比賽的兩支球隊外，幾乎沒有任何觀眾。後來經過裁判跟紀錄組的討論，決定比賽還是照常舉行。

「苦瓜哥，架設完畢！」蕭崇瑜調整好攝影器材，苦瓜點點頭，嗯了一聲，便走到室外去抽菸了。蕭崇瑜接著拿起單眼相機，對焦在場內的球員身上，他關注的對象絕大部分都是光北的球員。

比賽前的練習時間，光北的球員們正在做簡單的投籃與上籃練習，因為只是熱身，所以動作並不快，讓蕭崇瑜這個攝影菜鳥可以輕易捕捉球員的身影。

「麥克看起來很緊張呢，也難怪了，這畢竟是他人生第一場正式比賽。」

「哈，包大偉也是一樣，臉色好蒼白啊！」

「李光耀一臉興奮，感覺已經做好十足的準備。」

「有甲級聯賽經驗的魏逸凡果然不一樣，沉穩，有大將之風。陣中唯一的高三生楊真毅也是，完全不怯場。」

「謝雅淑真是可惜了，只能站在場邊觀戰。」

「詹傑成很明顯有點拘謹，這也不能怪他，雖然他實力不錯，但在這之前可是完全沒有任何上場比賽的經驗。」

這是蕭崇瑜首次出差到比賽現場做記錄工作，難掩興奮的他拿著相機猛拍，完全沒注意到苦瓜回來了。

苦瓜拍了一下蕭崇瑜的頭，「你一個人拍照碎碎唸幹嘛，現在只是熱身時間，不需要拍這麼多照片，待會的正式比賽才是重點。」

蕭崇瑜吐了吐舌頭，「是，苦瓜哥。」

這時，銳利的哨音響起。「兩隊隊員集合！」

光北跟新南的球員在場中央集合完畢後，裁判示意：「兩隊握手！」

與新南高中擁有完整十二人的陣容相比，光北隊僅有六名球員顯得有點寒酸，因此當雙方球員互相致意時，還出現了新南高中球員找不到人可以握手的滑稽場面。不過麥克、魏逸凡跟楊真毅的身高卻給對方帶來了壓迫感，讓新南球員臉色看起來有點緊張，沒有因為光北球員人數較少而露出瞧不起的態度。

兩隊握手後，其中一名裁判宣布，「比賽在五分鐘後正式開始。在比賽開始前，我要提醒你們，這是一場正式的籃球賽，比賽一定有輸有贏，不管輸贏都要保持運動家風度，勝不驕，敗不餒，贏球保持謙虛的態度，輸球也沒有關係，在失敗中學習，從挫折中成長。籃球是一項肢體接觸相當頻繁的運動，這點大家都清楚，如果發生過度的肢體接觸演變成衝突事件的時候，引起衝突的球員我們會做出驅逐出場的判決，事態嚴重的話我們會沒收比賽，甚至向聯盟提出兩校禁賽一年的處分。以上，有沒有任何問題？」

李光耀深吸一口氣，大喊：「沒有問題！」

李光耀突如其來的吼叫讓新南高中的球員、三名執法裁判、場邊的記錄組，甚至是站在他身邊的隊友們都嚇了一大跳。

在觀眾席的蕭崇瑜連連按下快門，記錄下這個畫面，獻寶似地對苦瓜說：「苦瓜哥，我剛剛拍到超好笑的畫面，你看裁判跟球員被嚇到的表情。」

苦瓜不耐煩地說：「你繼續拍，尤其是光北的球員，你別以為李光耀剛剛的大吼大叫只是為了好玩。」

蕭崇瑜忍不住問：「真的嗎？那他為什麼突然亂叫？我知道了，一定是為了要先聲奪人，在比賽開始前嚇一嚇新南高中的球員，想讓光北的氣勢先壓過新南，是不是這樣，苦瓜哥？」

苦瓜淡淡地說：「如果他的實力跟當初的李明正差不多的話，他不需要這麼做，因為這才只是丙級聯賽而已。他剛剛會這麼做是為了他的隊友。」

蕭崇瑜語氣帶點驚訝：「為了隊友？」

「你把相機對焦在麥克的臉上。」

蕭崇瑜拿著相機捕捉麥克的身影，輕按快門，被他鎖定的麥克，這時正走在李光耀身旁。

「你剛剛差點嚇死我。」麥克走在李光耀身邊，不禁抱怨。

李光耀得意地哈哈大笑，「如果我不大叫一下，我怕你會緊張得暈倒。這只是丙級聯賽，對手比上次那些大叔弱多了，你這麼緊張做什麼。」

麥克偷瞄了新南高中一眼，發現他們沒有聽到李光耀說的話，鬆了一口氣，「不要這麼大聲，被他們聽到怎麼辦？」

李光耀用力拍了一下麥克的背，「有什麼好怕的，球場就是戰場，他們是我們的敵人，為什麼不能說？站挺一點！長這麼高卻畏畏縮縮的，這樣對手會欺負你！」

一聽到「欺負」兩個字，從小被歧視與指指點點的麥克瑟縮了一下，「他們會欺負我？」

李光耀點點頭，「當然會，你一旦表現出害怕的樣子，就準備當箭靶吧。不過你不用擔心……」李光耀將魏逸凡和楊真毅拉到身旁，雙手環在他們的肩上，「你還有這兩個可靠的隊友！」

李明正此時用力拍手，將球員的注意力拉到自己身上。「先發陣容還有戰術就跟我們今天坐車時說的一樣，上半場以壓迫性防守為主，下半場則是陣地戰。然後……」李明正雙眼掃視著球員，露出大大的微笑，「好好享受這場球賽吧。」

光北球員們大聲回應：「是，教練！」

先發球員將外套拉鍊「唰」一聲往下拉，露出裡面由楊信哲設計，以光北校徽為靈感的俐落球衣，天空藍的底色配上浮雲白的繡字，在左肩處還有一個五十元硬幣大小的圓形校徽。穿著代表光北高中的球衣，為校爭光的決心在球員們臉上顯露無遺。

「隊呼！」李光耀大喊，光北球員雙手搭在彼此的肩膀上，圍成一個圓圈。李光耀想要趁比賽開始前完成隊呼，卻發現有件事不太對勁，「隊長，妳坐在那裡幹嘛，到中間來啊。」

謝雅淑愣了一下，「隊長，我？」

李光耀點點頭，「我之前不是說過了嗎，妳是光北的精神領袖，精神領袖不就是球隊隊長的意思嗎！」說話音量之大，似乎是想要宣布這件事情讓大家知道。

謝雅淑面對著場上六名隊友的堅定目光，一時間胸口似乎有什麼東西堵住了，一股熾熱的感覺在她心頭湧動，她快步走入隊友們圍成的大圓圈之中，深吸一口氣，大喊：「光北！」

「加油！」

「光北、光北！」

「加油、加油！」

「光北、光北、光北！」

「捨、我、其、誰！」

隊呼完成後，比賽正式開始，執法裁判示意雙方先發球員上場。

光北隊先發五人，五十五號詹傑成、十二號包大偉、三十三號楊真毅、三十二號魏逸凡、九十一號李麥克。

場外的蕭崇瑜驚訝地對苦瓜說：「苦瓜哥，李光耀不在光北先發陣容裡！」

苦瓜輕輕嗯了一聲，「我有眼睛，我看得到。」

「他會不會是受傷了？」

苦瓜搖搖頭，「看起來不太像有受傷的樣子，應該是李明正覺得這場比賽沒必要讓李光耀先發上場吧。」

「但這畢竟是他們第一場正式比賽耶，會不會球員太緊張就……」

苦瓜不耐煩地說：「等一下看了就知道，專心拍照。」

「是，苦瓜哥。」早已習慣苦瓜脾氣的蕭崇瑜，沒有把苦瓜的不耐煩放在心上，他轉過頭確認錄影機可以拍攝到球場每個角落之後，又拿起單眼相機，認真地想捕捉麥克與新南高中中鋒的跳球畫面。

裁判輕吹一聲哨音，將球高高拋起。麥克身高比新南中鋒多了七公分，瞬間彈跳力比對方快，臂長也更長，種種優勢之下，麥克輕鬆地將球拍給了前場的詹傑成。

詹傑成順利地拿到球，毫不猶豫便往籃下衝，新南高中沒有人來得及回防，比賽不到五秒鐘，詹傑成成為光北第一個在正式比賽中得分的人。

比數，二比零。

詹傑成得分之後，馬上進行壓迫性防守，他和包大偉上前黏住了新南高中的兩隻後衛。一開始新南高中的後場球員沒有多想，直接把球傳出去，但是很快的，他們的控球後衛遇上了麻煩，在包大偉的貼身防守下竟然完全沒辦法把球運過半場。

包大偉知道自己是光北隊中實力最弱的球員，所以他在防守上下了很多工夫。雖然在平常練習時對李光耀、楊真毅、魏逸凡等人束手無策，不過在面對比自己隊友程度差很多的新南球員時，以他現在的能力要完全守死已經不是難事。

縱使新南高中的控球後衛已經使出渾身解數，依然沒辦法突破包大偉的防守，勉強將球帶過半場，新南得分後衛連忙過來接應，控球後衛不得已把球傳出去，但詹傑成早就虎視眈眈在得分後衛身後等著，眼明手快一把將球抄走，再次上籃得手。

之後，包大偉跟詹傑成複製相同的模式，對新南的後衛壓迫防守。

退出底線發球的得分後衛發現情況不對勁，腦筋動得很快，把球用力一甩，想直接把球傳到前場的前鋒手上。

然而球傳得越遠越高，對防守球隊來說就更容易判斷球的方向跟落點，也就代表著更容易將球抄走。

楊真毅助跑起跳，在新南前鋒面前把球給截下來，落地後直接往前場衝，做了一個傳球假動作把上來防守的得分後衛騙開後，輕鬆兩步上籃得分。

比賽開始不到一分鐘，光北隊迅速打出一波六比零的攻勢，讓新南高中的教練急得在場邊大喊：「前鋒過來幫控球後衛擋人，不然過不了前場！」

新南教練的指示是對的，但兩隊的實力差距實在太大，就算兩隻前鋒到後場幫忙掩護，讓後衛過了包大偉跟詹傑成的防守，不過後面還有楊真毅跟魏逸凡。

結果，新南的球還是被抄走了，魏逸凡一抄到球很快傳給楊真毅，楊真毅也沒有把球停留在自己手上太久，直接傳給空手往籃下切的包大偉。

包大偉接到球，籃框已經近在眼前，雙腳起跳，輕輕鬆鬆地拿到兩分。

比數，八比零。

坐在觀眾席觀看球賽的苦瓜，此時站起身來，對認真拍照的蕭崇瑜說：「我去抽根菸。」

走到場館外後，苦瓜深吐了一口氣，緊繃的臉色稍稍舒緩。上次到光北採訪時，只看到光北練習的情形，雖然覺得練習得非常紮實，但不到實際比賽根本看不出光北的實力。本來有點擔心第一年成軍的光北會讓他失望，沒想到光北只花了短短不到兩分鐘，就讓他心中的擔心轉換成了無限的希望與期望。

放下心中的大石頭後，苦瓜突然覺得有點餓了，便走到附近的便當店幫自己和蕭崇瑜買了兩個雞腿便當，外加兩杯冰涼的手搖飲料。

苦瓜拎著食物回到場館後，第一節比賽已經結束，第二節正要開始，而計分板上的分數則是非常驚人的三十五比零。

「不用拍了，先吃點東西吧。」苦瓜將便當遞給蕭崇瑜。「剛剛情況怎麼樣？」

一聞到食物的香味，蕭崇瑜猛吞了吞口水，他火速打開便當，在扒第一口飯前說：「如果我是裁判，會馬上終止球賽。」

苦瓜點點頭，看向球場，發現李光耀依然坐在板凳區，「兩隊的實力差距太大了，繼續打下去確實沒有意義，而且分差越拉越開，如果光北隊再以這種壓迫性的戰術打到比賽結束，我怕新南高中的小球員心裡會留下陰影。」

蕭崇瑜嘴裡滿是飯菜，含糊不清地說：「那怎麼辦？」

苦瓜也拿起了便當，「放心吧，李明正自己可能也沒想到兩隊實力差距這麼大，他應該很快就會做出調整。」

隨後，像是有心電感應似的，在比數差距來到四十比零的時候，李明正站了起來，大喊：「陣地戰！」聽到李明正的指示，光北隊的球員如同潮水般從前場退到後場，讓新南高中的後衛在這場比賽中首次得以順利將球帶過前場。

控球後衛氣喘吁吁地比出手勢，新南高中的球員很快便動了起來，想要試圖利用這一波的攻勢挽回士氣。

然而，就算光北不繼續採取壓迫性防守，但兩隊實力本來就差距懸殊，而且光北的內線平均身高比新南高出五公分，麥克、魏逸凡、楊真毅站在籃下就帶給新南內線球員極大的壓迫感，兩名後場球員又沒辦法突破包大偉及詹傑成的防守，只好在二十四秒進攻時間結束前，勉強投出賭博式的三分球。

新南高中在比賽一開始就被光北打出一波四十比零的攻勢，而且這又是他們的第一場比賽，緊張加上光北散發的壓迫感，讓得分後衛投出的這顆三分球以非常詭異的角度飛向籃板，最後連籃框都沒碰到，砰一聲打在籃板左上角，而麥克靠著在禁區的身高優勢，右手一伸，輕輕鬆鬆就把這顆籃板球抓到手。

麥克把球交給詹傑成，詹傑成知道四十比零這種分差實在太大，便慢慢將球帶過半場，給新南高中的球員有多一點的喘息空間。

詹傑成將步調放到最慢，甚至把球交給隊中進攻最弱的包大偉跟麥克，一瞬間光北得分的效率降低，包大偉放球的手感不佳，投球時不是太小力就是太大力，球在籃框周圍打轉，就是進不了球。麥克更不用說了，李明正目前只教他如何搶籃板跟防守，進攻還沒有涉獵太多，所以麥克一接到球就好像握住一塊燒紅的鐵，拿都拿不住似的，馬上把球傳出去給隊友。

光北荒腔走板的打法讓新南高中摸不著頭緒，但新南沒多想，畢竟分差太大，光北沒有得分對他們來說絕對是一件好事。

新南高中的內線球員奮力爭搶籃板球，交給後衛跑快攻，防守的詹傑成甚至放慢速度，打算節省體力好讓新南可以破蛋。不過詹傑成的好意，新南卻沒有接收下來，得分後衛發現詹傑成放棄防守他，心裡一高興，腳步踏得太早，手放球的時候又放的太用力，球竟然從籃框裡彈出來，而且還往詹傑成的方向彈去。

詹傑成將球抓在手上，對新南的得分後衛露出了一個「你這樣我真的沒辦法幫你」的表情。

詹傑成繼續把球塞給包大偉及麥克，楊真毅與魏逸凡明白詹傑成的用意，也紛紛在進攻時把球傳給包大偉和麥克。這場球賽進行到第二節，雙方的差距已經很明顯了，不需要繼續殘殺新南，反倒是如果能藉著這場比賽讓包大偉和麥克磨練一下進攻上的實力，對往後的比賽才是最有幫助的。

比賽就在雙方一直投不進球的情況下進行著，不過麥克有著身高優勢，包大偉在球隊練習時面對的是李光耀、魏逸凡跟楊真毅這種高等級的對手，因此進攻方面多少也偷學到了三人的技巧，與新南高中只能濫投外線比起來，麥克跟包大偉還能以身高手長以及切入取分。

分數的差距越來越大，第二節結束，比數五十五比六。

在第三節開始前有十五分鐘的休息時間，李明正沒有對球員下達任何的指示，不過也不用李明正指示，由魏逸凡起頭，趁著這段空檔，開始檢討剛剛上場時哪裡可以改進，哪裡做得很好。魏逸凡一說完，李光耀也加進了討論，光北的板凳區你一言我一語地聊起方才球賽的內容。

「麥克，你的籃板球跟防守都做得非常好，但在進攻時還是會畏畏縮縮的，其實你不用怕，對方中鋒身高比你矮，蓋不到你的火鍋。」李光耀給麥克打氣。

麥克連灌了兩大口水，點點頭，「好。」

「大偉，你在切入時常常會猶豫，還被裁判吹了兩次走步違例，進攻時不用怕，就算你投不進，還有我們會幫你搶籃板。」魏逸凡拍拍包大偉的肩膀。

「好，謝謝學長。」

李明正看了看手錶，在休息時間結束前說：「好，下半場陣容維持不變，打陣地戰。」

光北隊所有球員站了起來，「是，教練！」

第三節比賽一開始，由光北掌握球權。詹傑成控球，剛剛休息時間李明正並沒有對他把球塞給麥克及包大偉有任何意見，於是詹傑成繼續將光北的進攻端交給麥克與包大偉負責。

與上半場情況有所不同的是，麥克發現李光耀說得對，新南沒有任何一個人比他高，所以只要他跳高一點，雙手把球舉高不要放下來，就沒有人蓋得到他的火鍋。

這個念頭一通，麥克把球放進籃框的機率慢慢變大。而包大偉上半場被吹了兩次走步後，一開始進攻依然有點綁手綁腳，不過後來他發現就算他球投不進，他的隊友也會一而再、再而三地幫他搶到進攻籃板，漸漸的，包大偉進攻時沒有過多的猶豫，像麥克一樣，他的進球率也提升了。

新南高中在下半場換上了新的陣容，實力上卻沒有太大的變化，而且因為第一、二節都沒有上場過，所以一上場緊張得手腳僵硬，甚至還有球員跑步時出現同手同腳的情形。

光北下半場的防守相較於上半場來得鬆散許多，因為領先的分差實在太大，防守多少有些鬆懈，可惜的是第三節上場的新南球員沒有把握住這個機會。目睹了四十比零這波可怕的攻勢，這群剛上場的新南球員，緊張得一連發生了好幾次失誤，而且延續著上半場的情況，只能在三分線外做賭注性的投籃。

新南一直在外線發動攻勢，讓光北打得非常輕鬆，基本上只要新南一投球，光北三名內線高個就可以準備搶籃板。

到後來，裁判甚至對新南的走步、兩次運球、籃下三秒等等的違例視而不見，對新南可以說放寬判決到非常誇張的程度，不過就算如此，新南自己不爭氣也沒辦法，竟然還有人運球運到腳上出了界。

對光北來說，每個人都不希望比賽變得很難看，楊真毅跟魏逸凡兩個人很有默契，在第一節以後就沒有出手過，跟詹傑成一樣把球交給包大偉跟麥克，詹傑成也不再抄球，在防守時僅僅是站在對手面前而已。

事實上，新南的教練一開始知道光北是新成立的球隊時還很開心，認為平常疏於練習的球隊說不定今天有可能會獲勝，但是比賽兩分鐘後，他就知道這個想法完全錯了，兩隊實力的差距已經無法用言語形容。

對新南來說，這場比賽是非常難熬的，所以當比賽結束的哨聲響起時，新南球員的臉上全都露出了如釋重負的表情，這場單方面屠戮的球賽總算結束了。

比賽最後結果，九十比十五。

第二章

比賽結束，兩隊賽後握手致意後，苦瓜與蕭崇瑜很快地走下球場，分別找上兩隊的教練。

苦瓜從外套口袋中拿出一張名片，直接走向新南高中的總教練：「黃教練您好，我是《籃球時刻》雜誌社的編輯，想借用您一點時間做訪問。」

黃教練看著苦瓜遞過來的名片，表情有些驚訝，但心裡馬上猜到苦瓜採訪的目的。

「《籃球時刻》這麼大的雜誌社，竟然會對丙級比賽有興趣？光想就覺得非常奇怪了，現在竟然還要採訪我這個就算在丙級也是輸多贏少的教練？」黃教練露出帶有深意的笑容，「是因為光北高中吧。」

苦瓜很直接地說：「沒錯。」

黃教練看著苦瓜，「好，我願意接受採訪。但在這之前我想知道為什麼，如果我沒記錯的話，光北是今年才剛成立的球隊，為什麼能夠引起你們的注意？」

苦瓜用最簡單的方式回答：「光北，曾經擊敗過啟南。」

黃教練驚呼一聲，「啊？似乎是有這麼一回事，原來當年那支球隊就是光北。」黃教練又笑了笑，「小夥子，那件事距離現在應該也有十幾二十年了，你可別以為光是這理由就可以應付我。」

苦瓜也笑了，他指著正在接受蕭崇瑜訪問的李明正，「現在光北的總教練跟執行助理教練，甚至連光北的新任校長都是當年的球員，而且我相信您今天也切身感受到光北的實力了。」

黃教練恍然大悟，「原來如此，難怪你們會對光北有興趣。好吧，既然如此，說到要做到，你想問什麼就問吧。」

苦瓜打開手機的錄音功能，「請問黃教練，與光北高中比賽之後，您對光北這支球隊有什麼樣的看法？」

黃教練收起輕鬆的表情，認真地回答：「光北是一支非常強悍的球隊，進攻跟防守都具有相當的水準，以他們的實力，我想丙級聯盟沒有任何一支球隊會是他們的對手。」

「黃教練，以您當教練多年的經驗來看，您覺得光北是否已經達到甲級聯賽的水準？」

黃教練沉默了一下，「我不確定我適不適合回答這個問題，畢竟我最多只帶過乙級聯賽的球隊而已。這麼說好了，甲級聯賽的水平我不了解，所以我沒辦法給你肯定的答案，但如果以乙級聯賽的水準來說，光北絕對可以站穩腳步。」

「請問黃教練對光北的哪一位球員印象最深刻？」

黃教練不假思索地回答：「九十一號，那位黑人同學。」

苦瓜好奇，「為什麼？」

「籃板球。他搶籃板球的能力很強，一支球隊裡面如果有一個很會搶籃板球的中鋒，不管在進攻或者防守上，都可以為球隊帶來非常大的貢獻。如果不是他進攻能力不強、罰球不準，終場的比分絕對會更難看。」

「請問黃教練對於新興高中解散籃球隊，有沒有任何看法？」

黃教練正要開口時，眼睛突然閃過一絲光芒，他露出笑容，「如果你是拐著彎問我光北有沒有機會藉著新興高中的解散，拿到憑空掉下來的乙級跟甲級聯賽門票？我會回答你，有機會，但憑他們現在的實力很難打贏甲級的球隊。」

「怎麼說？」

「最主要的問題是輪替陣容不足，現在光北隊包含替補只有六名球員，對付我們這種實力比較弱的球隊還可以，但是在各方面強度都更高的甲級聯賽，只有六名球員的陣容絕對行不通。」

「原來如此，那麼除了板凳深度之外，黃教練認為光北還有沒有什麼地方需要加強？」

黃教練搖搖頭，「這我無法回答，因為我們兩隊實力相差太多，或許光北隊還有其他的弱點沒有曝露出來，但以我們球隊的實力，沒辦法讓我看出光北隊有什麼顯而易見的缺點。」

苦瓜關掉錄音鍵，「謝謝黃教練接受採訪。」

「不客氣。」

苦瓜結束訪問之後，轉頭看向光北的方向，但是光北隊已經離開，只剩蕭崇瑜站在原地等著他。

蕭崇瑜走向苦瓜：「苦瓜哥，採訪還順利嗎？」

「該問的都問到了，你呢。」

蕭崇瑜聳聳肩，把手機遞給苦瓜，「苦瓜哥，你聽就知道了。」

苦瓜接過手機按下播放鍵，手機裡傳出蕭崇瑜與李明正的聲音。

「李教練，這場比賽光北大獲全勝，先向您說一聲恭喜。」

「謝謝。」

「請問這場比賽以這麼懸殊比分獲勝，是不是在您的預料之中？」

「沒有。」

「請問您認為這場比賽能夠大獲全勝的主要原因是？」

「球員戰術執行徹底。」

「為什麼李光耀在這場比賽完全沒有上場，是為了保留實力嗎？」

「戰術考量。」

「今天是光北第一場正式比賽，請問李教練怎麼幫助球員調整？」

「他們都是很成熟的球員，不需要我幫忙。」

「李教練對於子弟兵今天的表現有沒有任何看法？」

「他們的戰術執行力不錯。」

「好，謝謝李教練。」

「不客氣。」

錄音結束，蕭崇瑜看著苦瓜，目光帶著詢問。

苦瓜把手機還給蕭崇瑜，「沒關係，只是丙級聯賽的第一場比賽而已，這樣就夠了。器材收一收，該回去了。」

蕭崇瑜打起精神，「是。」

第一場比賽結束後的第一個早晨，因為沒有上場的關係，李光耀並不覺得累，所以跟往常一樣凌晨四點就起床自我訓練。

★

感受球離開手指的感覺，看著籃球不斷掉進籃框裡，李光耀表情顯露著興奮。

「手感不錯，真的好想趕快上場比賽啊！」

自我訓練結束後，李光耀揹上後背包，穿上慢跑鞋，開始每天一定要進行的十公里路跑。

到達學校時，李光耀理所當然地接受大家投來的目光，到廁所換上制服後，快步走向一年五班。

一進教室，便看到他的桌上擺滿了愛心早餐，不少早餐袋裡還有紙條與情書。李光耀把那些情書全都塞進抽屜裡，掛好後背包，拿起其中一袋早餐放在麥克的桌上，笑了笑，「這小子，昨天比賽時這麼拚命，今天應該會睡過頭吧。」便提著兩袋早餐走出教室。

李光耀哼著歌，大步走進一年七班，看到他想要找的人已經在教室裡，臉上露出大大的微笑。一年七班的人一見到李光耀走進來，每個人都停下手邊的動作，看著他毫不猶豫地走到謝娜面前，好像看到八卦版頭條一樣，大家開始興奮地竊竊私語。

李光耀拉開謝娜前面座位的椅子，將早餐放在謝娜的桌上，「早。」

謝娜手上拿著國文課本，似乎正在複習，連看都沒看李光耀一眼，「拿走，我不想吃。」

李光耀看著謝娜精緻的臉蛋，笑著說：「我沒有說這些是要給妳吃的啊，我從家裡跑步來上學，光這些我還吃不飽呢。」

謝娜聽到李光耀跑步上學，表情出現一絲驚訝，但她隱藏得很好，並沒有被李光耀發現，「有什麼事嗎？」

李光耀邊吃早餐邊說：「沒事，我只是想要看看妳。」

李光耀的直白讓一年七班的學生更興奮了，所有人的話題都圍著謝娜跟李光耀打轉，而身處話題中心的兩個人，好像早已習慣成為眾人的焦點般完全不在意。

謝娜沒好氣地說：「可是我不想看到你。」

李光耀問：「為什麼？」

「沒有為什麼，就是不想看到你。」

李光耀笑了笑，完全沒把謝娜這傷人的話語放在心上。「妳知道我們昨天比賽大勝對手嗎，九十比十五，厲害吧。」

謝娜依然沒有看李光耀，冷淡地說：「沒興趣。」

李光耀很快吃完第一袋早餐，接著拿起第二袋早餐，拆開封袋，繼續吃起來，「雖然只是第一場比賽，球隊還有很多需要改進的地方，但是我相信我們一定會越來越強！」李光耀擦了擦嘴，「我們星期三還有一場比賽，妳要不要過來看？」

謝娜盯著書，沒理會李光耀的邀請。

李光耀不放棄，「妳應該也喜歡籃球吧？」

謝娜簡單扼要地回答：「不喜歡。」

李光耀手撐著臉看著謝娜，「妳頭髮的顏色真好看。」

謝娜直接哼了一聲，當作回應。

「因為昨天比賽大家打得很拚，教練說今天暫停練習，讓大家有更多時間休息，所以我才能過來看妳，之後可能就沒辦法了。」

謝娜滿意地點點頭，「那很好，因為我並不想看到你。」

李光耀露出微笑，「妳說話好傷人，妳都這麼武裝自己嗎，跟刺蝟一樣不讓任何人靠近妳？」

謝娜瞪了李光耀一眼，後者笑嘻嘻地看著她。「關你什麼事，我們很熟嗎？麻煩你離開，我看書時不喜歡別人打擾。」

「好啊，給我一個微笑，我就走。」

謝娜露出一個敷衍的笑容。

李光耀搖搖頭，「我說的是真心的笑容，妳這麼漂亮，笑起來一定更美，如果可以看到妳發自內心的笑容，我會很開心。」

謝娜不耐煩地用力把書闔上，「你煩不煩啊？」謝娜瞪了李光耀一眼，但是看著李光耀清澈的雙眼，不知道為什麼，她竟然無法直視。移開目光，她咬牙道：「反正你們男生都一樣！」

李光耀不明白，「一樣什麼？」

謝娜感到很煩躁，不知道為什麼自己會有這種情緒出現，「一樣膚淺，每個男生都一樣！」

李光耀看著謝娜，輕輕地點頭，站起身來，「我會讓妳知道，我跟其他男生不一樣。」

拿著兩份早餐的袋子，李光耀頭也不回地離開了一年七班。

看著李光耀離開的背影，煩躁的心情讓謝娜根本沒辦法專心讀書，更別提她身邊的女同學還紛紛靠過來七嘴八舌。

「李光耀他剛剛是不是向妳告白了？」、「天啊，他好高哦，而且好帥！」、「妳對他有感覺嗎？」、「他有約妳去哪裡嗎？」、「妳如果跟他在一起，學校有一大票的男生跟女生都要心碎了。」

謝娜勉強忍住心裡的不耐跟怒氣，擠出一絲微笑，「相信我，我絕對不可能跟他在一起，他那種自信過剩又白目的男生我看多了。聽好了，我謝娜，絕、對、不、可、能、會、喜、歡、他！」

看著大家驚訝的反應，謝娜滿意地點點頭，「就是這樣。」

李光耀回到教室的時候，麥克正吃著早餐，一看到李光耀，麥克開心地站起來打招呼，但意外的是，今天李光耀的反應異常冷淡。

「嗯，早。」李光耀輕輕點了頭，坐在座位上，將所有塞在抽屜裡的情書跟紙條拿出來，逐一回覆。

「你……是不是因為昨天沒上場在生氣？」看著李光耀認真的側臉，麥克小小聲地問。除了打籃球之外，麥克從沒見過李光耀這麼認真做一件事，他以為李光耀是因為沒有上場在生悶氣。

李光耀揚起眉毛，「啊？你說什麼？」

麥克鼓起勇氣開口，他很怕李光耀生氣，因此措詞很小心，「我們昨天贏球，大家都很開心，教練可能覺得只是丙級比賽，你沒有上場的必要，所以才沒派你上場……」

李光耀點頭，理所當然地說：「是這樣沒錯啊，在比賽前我爸就跟我講好了，丙級比賽他不會讓我上場，實力差太多了，我上場意義不大。」

李光耀臉上寫著疑惑，「我看起來像是在生氣嗎？」

麥克鬆了一口氣，「太好了，我還以為你是因為昨天沒上場比賽在生氣。」

麥克連忙搖搖頭，「沒有啦，只是我剛剛跟你打招呼，你的反應很冷淡，坐下來之後又拿起那些情書，我以為你是要把氣出在那上面。」

李光耀哈哈大笑，「你想太多了，我只是想要一口氣回完這些情書而已。」

麥克看著李光耀認真地回覆每一封情書，但也很快就發現，李光耀回覆的內容完全一模一樣。

「你……你這樣好嗎？」雖然沒看到李光耀寫了些什麼，但李光耀回覆一封情書平均只要十秒鐘，麥克相信內容一定很簡單扼要。

「什麼好不好？」李光耀頭也沒抬地問。

麥克怯怯地說：「就……你回信的內容，好像都一樣。」

李光耀點點頭，「是都一樣沒錯，但我是故意的。」

「為什麼？」

李光耀臉難得紅了起來，「嗯，咳咳，你記得一年七班那個謝娜嗎？」

麥克想也不想，「當然記得，校花耶。」看著平常對自己非常有自信，在球場上叱吒風雲的李光耀居然臉紅，麥克腦中一閃，嘴巴張大，「你……你該不會……？可是你之前不是說你沒有喜歡她嗎？」

李光耀用笑容掩飾尷尬，「我有這麼說過嗎？哈哈，好像有，但我也不知道為什麼，本來只是覺得這個女生很有趣而已，沒想到這幾天她就一直出現在我腦海裡，怎麼趕也趕不走。」

「那……那現在怎麼辦？」沒有任何戀愛經驗的麥克，不知道該怎麼幫李光耀，開始在一旁乾著急起來。

李光耀聳聳肩，「我也不知道，但是她剛剛跟我說我們男生都一樣，雖然我不太懂她這話是什麼意思。」

「剛剛？」麥克捕捉到關鍵字。

李光耀甩了甩手，他已經很久不曾一口氣寫那麼多字了。「對啊，因為我很想看看她，所以剛剛一到學校就直接去找她了。對了，你身體還好嗎，會不會痠痛？」

麥克搖搖頭，「不會，我反而覺得平常的練習比較累。」

李光耀笑了笑，「那是因為現在比賽的強度比較低，你才會這麼覺得，等以後遇到的對手越來越強，你就知道比賽後的休息是很重要的。好了！全部寫完了，下一節下課陪我去送信吧。」

「好。」對於李光耀的邀約，麥克從來不會拒絕。「你……你交過幾個女朋友？」

李光耀神祕兮兮地對麥克說：「跟你說，一個都沒有。」

「什麼？」麥克很驚訝，李光耀球技好，個子高，長相也不差，笑容陽光又燦爛，根本就像是電視劇裡的男主角，以他的條件，交女朋友絕對不是難事，而且寫情書給他的女生那麼多，代表他在女生眼裡是個很有吸引力的男生，怎麼會沒交過女朋友。

李光耀看著麥克懷疑的眼神，攤手說：「國中時忙著練球跟比賽，沒時間交女朋友，而且那時候也沒有遇到喜歡的女生。」

麥克不懂，「那你為什麼會喜歡謝娜，上次她不是還罵你混蛋嗎？」

李光耀沉默了一下，「我也不知道怎麼說，除了她漂亮的外表吸引我之外，你記得嗎，上次在公園跟那幾個很厲害的大叔比賽的時候，她一直站在場邊看我們打球，你知道我從她眼裡看到什麼嗎？」

麥克猜不出來，「看到什麼？」

「她的眼神，帶著羨慕和哀傷，就好像……」李光耀想了想，「好像一隻被關在籠裡的鳥，渴望著天空，她卻被困在鳥籠裡，沒辦法張開翅膀飛翔。上次去她班上找她的時候，她被很多人團團圍著，每個人都想要跟她說話，看得出來她的人緣不錯，而且她對朋友也很好，你還記得嗎，上次只是因為我沒有馬上回她同學的信，她竟然跑來我們班找我，還罵我混蛋。我不懂為什麼這麼一個漂亮受歡迎的女生，竟然會流露出那種眼神，然後我突然發現我整個腦海都被她占據了。」

★

丙級聯賽第二場比賽，光北對星揚。

比賽開始前，苦瓜和蕭崇瑜已經在觀眾席就位。

「苦瓜哥，你覺得這場比賽光北會贏幾分？」蕭崇瑜邊拍照邊問。

苦瓜一邊盯著錄影器材一邊懶懶地答：「這要看光北這場比賽怎麼打，是要壓迫性防守打整場呢，還是打陣地戰。但不管用哪種戰術，這場比賽要贏五十分對光北來說其實不是什麼難事。」

「所以基本上這場比賽跟上一場一樣，光北會一路壓著對手打。」

「差不多。」苦瓜打了一個哈欠，看著裁判拿球走到中場，勉強打起一點精神，「太棒了，比賽就要開始了，快點打完，讓我們快點回家吧。」

蕭崇瑜回頭看了苦瓜一眼，這幾天苦瓜每天都工作將近十二個小時，重重的黑眼圈掛在臉上，手邊又擺著喝了一半的咖啡，蕭崇瑜看得出來苦瓜真的累壞了。

「苦瓜哥，你要不要先瞇一下，反正有錄影，你回去再看也可以。」

苦瓜又打了一個哈欠，「你以為我沒想過嗎，但我就是想要親眼看光北隊打球，不然就叫你一個人來，我在飯店裡睡大頭覺就好了。」苦瓜右手手肘頂在大腿上，手掌撐著頭，「比賽快開始了。」

蕭崇瑜連忙轉頭回去，拿起單眼相機，準備拍照。

「嗶」的一聲，裁判將球高高拋起，麥克運用了彈跳力跟手長這兩個優勢，將球準確地撥給詹傑成。

詹傑成一拿到球就往前衝，完全不在意回防的星揚高中球員，收球起跳，吸引防守球員之後，一個瀟灑的背後傳球，傳給拖車跟進的包大偉，讓包大偉輕鬆上籃拿下兩分。

比數二比零，光北高中跟上一場比賽一樣，開賽不到五秒鐘就率先得分。

順利取分之後，光北高中在區域防守中把星揚逼到只能賭三分球。

當星揚高中的球員將球投出去的瞬間，包大偉、詹傑成、魏逸凡、楊真毅四個人馬上往前場衝，留下麥克一個人搶籃板。

星揚的中鋒比麥克矮半顆頭，加上麥克驚人的彈跳力，麥克輕輕鬆鬆抓下籃板球馬上把球往前場甩。

星揚完全跟不上光北的節奏，楊真毅接到球就傳給已經站在籃下的包大偉，包大偉輕鬆上籃再拿兩分。

在光北的防守下，星揚一直找不到切入的機會，無謂的外圍導傳又只是浪費進攻時間，讓星揚的教練急得大喊：「進攻時間快到了，出手，不用怕！」

得分後衛聽著教練的喊話，接到小前鋒的傳球，在三分線外做了一個傳球假動作，然後下球，毫不猶豫地往左切，一個運球之後拔起來跳投。

行雲流水地帶一步跳投，卻投了一個籃外空心。

麥克眼明手快地跳起來將球抓住，一把將球往前丟，包大偉跟詹傑成就跟箭頭一樣往前飛奔，由詹傑成追到球，上籃得分。

「李明正好狠。」看了光北隊三波進攻的苦瓜，將咖啡一飲而盡。

「怎麼說？」蕭崇瑜疑惑地問。

「光北現在執行的戰術，第一，會把星揚高中的信心打垮；第二，考驗光北那兩隻後衛的體能，每次進攻都是衝刺追球，很快就累了。我看李明正可能也沒有將丙級的比賽當比賽，純粹就是給球員磨合跟試驗各種戰術而已。」

在苦瓜說話的當下，麥克又抓到籃板球，把球往前場甩，包大偉、詹傑成、魏逸凡、楊真毅衝刺往前場跑，楊真毅在左側三分線追到球，直接把球傳給魏逸凡，上籃得手。

比數，八比零。

苦瓜打了一個大大的哈欠，拿出筆記本，寫下觀戰心得。

「**光北高中，以紮實的防守為基底，塑造出極具侵略性的球風。**」不過很快又把這段話劃掉，因為光北的對手實在太弱，參考價值太低了。

苦瓜放下筆記本，霍然站起身來，「我去抽菸。」

待苦瓜抽完菸回來時，兩隊差距已經拉開到二十分。

比賽結束時，比數是八十五比十，光北隊大勝七十五分。

整場比賽一直跑快攻的詹傑成、包大偉、魏逸凡、楊真毅累得連氣都喘不太過來，尤其包大偉跟詹傑成體能比較弱，比賽結束時臉色甚至發白。

不過對手的情況更糟。

「這種比賽，真的是太……」蕭崇瑜一時之間找不到合適的形容詞，後來竟然說出：「太殘忍了。」

「嗯，或許吧。」苦瓜拿起手機，切換到錄音功能。「好了，把器材收好，準備採訪了。」

苦瓜很快找到星揚高中的總教練，「黃教練，您好。」

星揚高中的總教練回過頭，用疑惑的眼神看著苦瓜，「你是？」

苦瓜遞上準備好的名片，「我是《籃球時刻》雜誌的編輯，想借用黃教練一點時間做訪問。」

在苦瓜無數次採訪經驗當中，在絕大多數的情況下，只要抬出《籃球時刻》的名號，教練點頭答應接受採訪的機率高於百分之九十九，因此苦瓜認為今天他也可以跟往常一樣順利完成這次的訪問。

殊不知，今天苦瓜卻遇到了機率比百分之一還小的情況，星揚高中的黃教練搖頭拒絕。

「對不起，我的球員們因為輸球很難過，我必須去安慰他們。」

苦瓜愕然地看向星揚高中的板凳區，所有球員因為輸球正哭成一團。苦瓜覺得很奇怪，雖然輸球的感覺不好受，不過低等級的比賽除了丙級聯盟之外，幾乎每個月都有不同的賽事可以參加，在丙級聯盟輸了有什麼關係，下個月還可以報名別的比賽啊。

看著苦瓜疑惑的表情，黃教練在臨走前解釋，「因為星揚高中招生狀況並不理想，學校的經費短缺，因此學校決定廢除籃球隊，在丙級聯賽打完之後，這個命令即刻生效。」

黃教練拍拍苦瓜的肩膀，用眼神說了聲抱歉之後，大步走向哭得不能自已的小球員們。

苦瓜看著星揚高中的球員，心中嘆了一口氣，為自己剛剛的想法感到羞愧，也為這些小球員感到惋惜，最後一場比賽竟然遇到了光北，以誇張的比數輸了球賽，留下了這麼慘痛的回憶。

苦瓜在心裡默默感嘆，少子化的影響已經慢慢衝擊到高中職學校了，未來這種情況只會越來越常發生。

苦瓜關閉手機的錄音功能，收好手機，正想轉身找尋蕭崇瑜的時候，才發現蕭崇瑜已經站在他身後。

蕭崇瑜直接將手機遞給苦瓜哥，「這一次，李明正連訪問的機會都沒有給我。」

苦瓜用疑惑的眼神看著蕭崇瑜遞過來的手機，心想，既然沒訪問到李明正，拿手機給我做什麼？

蕭崇瑜看到苦瓜的表情，馬上說：「苦瓜哥，你聽就知道了。」

苦瓜打開手機裡的錄音檔，放大音量，將手機拿到耳邊，仔細聆聽內容。

錄音一開始即出現蕭崇瑜的聲音，「李教練……」

然而蕭崇瑜的問題都還沒說出來，李明正就插話，「在丙級聯盟的比賽裡，我不會讓李光耀上場，沒這個必要。簡單說，現在光北的實力遠遠超過所有丙級聯賽的球隊，所以我只把丙級聯盟的比賽當作乙級聯盟的熱身賽，讓比較沒經驗的球員可以親身體會一下站在場上比賽是什麼感覺。而且每一場比賽我們都會採取不同的戰術，最大限度地挖掘出每個球員的潛力，以及決定之後對付更高等級球隊時的策略。」

錄音到此結束。

蕭崇瑜看著苦瓜，「李明正真的很酷。」

苦瓜因蕭崇瑜用的形容詞而不禁笑了出來，他將手機還給蕭崇瑜，「你還沒看過他更酷的樣子。」

蕭崇瑜沒好氣又洩氣地說：「上次願意讓我採訪，但是回答得非常空洞，這次則是不給我任何提問的機會，自顧自地講了一堆，跟我原本要訪問的內容根本沒關係啊。」

「很難捉摸，對吧。」

蕭崇瑜攤手說：「完全沒辦法。」

「呵呵，這就跟他在球場上一樣，你根本無法預測他下一步要做什麼，你不知道他是要進攻還是要傳球，不知道他要切入還是外線投射，不知道他做的是不是假動作。」

蕭崇瑜嘆了一口氣，「苦瓜哥，一講到李明正，你整個人平易近人多了。」

苦瓜挑起眉毛，「什麼意思？」

「我的意思是說，苦瓜哥你果然是李明正的超級大球迷，一講到他，你的眼神馬上散發出興奮的光芒，剛剛疲倦的模樣消失得無影無蹤。」

苦瓜淡淡地說：「如果你曾經看過他打球，你也會跟我一樣。」

「是是是，這句話快變成苦瓜哥你的口頭禪了啦！」

第二場比賽翌日清早，四點整的鬧鐘未響，李光耀就已經醒來，帶著興奮愉悅的心情簡單梳洗後，單手抱著籃球走到庭院的籃球場。

天還沒亮，徐徐吹來的風依然帶著些許涼意，李光耀身上套了一件棉質外套，開始暖身，一直到他覺得身體醒來之後才開始進行訓練，折返跑。

李光耀紮實地從底線跑到另一邊的底線，彎下腰蹲下身體摸到底線才折返，而且始終用衝刺的速度在跑，使盡全力的情況下，不到十分鐘李光耀臉上已經充滿綠豆大小的汗珠。

折返跑結束，趁著身體還很熱的時候，在他最愛的位置練習投球，罰球線、罰球線兩側、靠近籃框兩邊四十五度角的位置。

一開始是定點跳投，後來變成帶一步跳投，再變成帶一步後仰跳投。

李光耀投球的速度並不快，但是每一次投球，他的動作都做得非常確實。

練球的同時，東方漸漸透出了魚肚白，但李光耀顯然意猶未盡，走到弧頂三分線練投三分球，不過才投到一半，他突然想起今天起床時特別興奮的原因。他快速將球收好，走到浴室將身上的臭汗沖掉，換了一身乾淨的衣服後，拎著後背包就出門了。

到了學校之後，李光耀按照慣例到廁所更換衣物，拿出前一晚就裝好的水，大口大口喝起來，然後慢慢走到教室。

只不過，本來打算一放下背包就去一年七班找謝娜的他，計畫卻完全被打亂了。

李光耀一進教室就看到一個漂亮的女生坐在他的位子上，他愣了一下，趕快走到外面看看牆上的班級門牌，確定自己沒有走錯教室。

李光耀再次走進教室，「同學，不好意思，這是我的座位。」在非關籃球的場合裡，李光耀的行為舉止還是十分有禮貌。

沒想到女生沒好氣地說：「我知道。」

李光耀又愣了一下，心想，妳既然知道這是我的座位，那妳還不趕快起來，我要去找謝娜，沒時間跟妳耗。李光耀心裡已經完全被謝娜占據。

但李光耀並沒有把心裡的話說出來，兩個人就這麼僵持著。女生抬頭冷冷地盯著李光耀，總算開了口，「你不知道我是誰？」

李光耀搖搖頭，很誠實地說：「不知道。」

女生從百摺裙的口袋裡抽出一封信，打開來放在桌上，用質問的語氣說：「這是什麼意思？」

李光耀認出自己潦草的筆跡，不解地說：「就字面上的意思，怎麼了嗎？」

女生壓抑不下心中的怒氣，「上面寫『我喜歡謝娜』，意思就是你、已、經、喜、歡、上、謝、娜、了？」

李光耀心想，我都已經寫的這麼清楚明白了，這個女生到底有什麼問題。他點點頭，「是啊。」

女生翻了白眼，「那現在呢，你看到我之後，還是一樣喜歡謝娜？」

李光耀真想大聲問這個女生到底想幹嘛，但是基於禮貌以及紳士風度，他依舊保持平淡的語氣，「嗯。」

女生的耐心似乎用光了，「我哪裡輸她了？頭髮？眼睛？鼻子？嘴巴？還是身材？」女生說完還挺了挺身體。

李光耀看著女生如瀑布般垂下的烏黑長髮，星星般閃爍著光華的雙眸，精緻小巧的五官，還有那儘管穿著制服依然隱藏不了的姣好身形，單就「美」這方面來說，這個女生與謝娜相比毫不遜色。

李光耀誠實地說：「妳很漂亮，但我喜歡謝娜不是因為她的美貌。」

女生嘴角勾起一抹冷笑，「這種話我聽多了，別以為我不懂男生在想什麼，說，你喜歡謝娜真正的原因到底是什麼？」

李光耀沒有開口，心想這個女生在某方面倒是跟謝娜滿像的。

氣氛再次凝結，兩人僵持著。最後女生霍然站起來，打破沉默，「算了，你不說沒關係，反正我不可能輸給謝娜。」

女生大步走出教室，在跨出門的那一瞬間回過頭，「李光耀，你知道我是誰嗎？」

李光耀搖頭，一臉茫然，「妳是誰？」

女生臉上閃過怒容，「你最好給我記清楚，我叫劉晏媜。」

麥克一到教室就看到李光耀一臉鬱悶地吃著早餐，麥克將書包放好後，不解地問：「早……你……你心情不好？」

李光耀搖搖頭，含糊不清地說：「剛剛去一年七班，沒看到謝娜。對了，麥克，你聽過劉晏媜這個人嗎？」

麥克用力地點點頭，「當然知道啊，她是二年三班的學姐，聽說在謝娜來之前是光北的校花。」

李光耀嚼著漢堡，看著麥克，「除了這個之外呢，還知道什麼別的嗎？把你知道的都說給我聽。」

「這個學姐在學校很紅，很多男生喜歡她，跟你一樣，她的桌上每天早上都會擺滿早餐跟情書，不過跟你不一樣的是，她很花心，交過很多男朋友，幾乎每個月都會換一個新男朋友，而且她的男朋友幾乎都是學校的風雲人物，像是熱舞社社長、搖滾社主唱等等。

「因為她實在太受男生歡迎，所以有些女生很不喜歡她，覺得她太招搖。不過在謝娜來了之後，完全搶走她的風采，聽說她很生氣。」

李光耀聽著，嘆了口氣，喝了一口奶茶，把嘴裡的食物吞下肚，「原來如此。」

麥克小心翼翼地問：「原來如此？你……該不會……也喜歡她吧？」

李光耀白了麥克一眼，「怎麼可能，只是她今天莫名其妙來找我，問了一些很奇怪的問題，浪費我去找謝娜的時間就算了，竟然還害我見不到謝娜。以後最好別讓我再遇到她，碰到她沒好事。」

麥克小聲地說：「沒找到謝娜，好……好像不關學姐的事……」

李光耀雙手交叉在胸前，抱怨道：「當然關她的事啊，如果不是遇到她，我怎麼會這麼倒楣遇不到謝娜，而且你知道嗎，我猜她把我當成跟謝娜競爭的工具，她今天早上來找我，竟然只是因為我回她信的內容，我覺得如果不是我寫說我喜歡謝娜，她絕對不會來找我。」

李光耀講到後來覺得心煩，不想再提到任何有關於劉晏媜的事，馬上轉移話題，「對了，昨天比賽的感覺怎麼樣？」

麥克順著李光耀的問題回答：「還不錯啊。」

「你知道你昨天的數據嗎？」

麥克搖搖頭。李光耀哈了一聲，「我就知道。」立刻從後背包裡拿出筆記本，「昨天晚上回到家，我特地跟我老爸要了一份全隊的數據表，你看這邊，這是你的，零分，二十個籃板，六次助攻，兩次阻攻。」

麥克緊張地問：「這樣算好還是不好？」

李光耀看到麥克的表情，笑了笑，「雖然你有身高跟彈跳力的優勢，但能夠拿到這樣的數據，代表你的實力已經超過丙級的水準了。」

聽到李光耀的稱讚，麥克臉一紅，整個人有點飄飄然的。

「你進步的很快，可是不能因為這樣就怠惰下來，尤其你在處理球的時候還是會緊張。你還記得嗎，昨天比賽的時候你抓下籃板球，包大偉跟詹傑成已經偷跑到前場，但是因為你傳球傳歪了，讓魏逸凡跟楊真毅必須把球救回來才能進攻，甚至還直接把球傳出界外，你的三個失誤就是這麼來的。」

聽到李光耀這麼一說，麥克興奮的心情很快被失落取代。李光耀察覺到麥克情緒的轉變，笑了笑，「你擺那什麼臉啊，這個只是提醒你一下而已，在場上誰不會失誤，你自己看看，包大偉上籃放槍三次，詹傑成走步違例兩次，就連最有經驗跟最沉穩的魏逸凡跟楊真毅都各有一次失誤，而且你看看，你搶了二十顆籃板、傳了六次助攻、送給對方兩個火鍋，平均起來你抓下十顆籃板傳兩次助攻才會出現一次失誤，你的正值遠遠大於負值。」

麥克露出疑惑的表情，「那是什麼意思？」

「意思就是有你在場上，光北贏球的機率比輸球大。」李光耀突然靈光一閃，問麥克一個問題：「麥克，你覺得有沒有所謂籃球方程式這種東西？」

「你說的是必勝的方程式嗎？」

李光耀點點頭。談起籃球，今天早上被劉晏媜攪亂的心情一掃而空，「沒錯。」

麥克思考了一下，不是很確定地說：「我覺得應該……沒有。」

「為什麼？」

麥克這一次思考的時間更長了，不過李光耀耐心地等待著麥克的答案。

「因為籃球場上有五個人，如果能力值以一百分計算的話，就算五個人的能力值都是一百，但球只有一顆，一次只能交到一個人手上，然後其他沒有球的人能力值就降了下來，而且降了很多，變成只有五十，所以五個人能力值加起來只有三百。另一方面，另外一隊只有一個人能力值是一百，其他人只有八十，可是當球交給能力值一百的人的時候，其他人能力值卻只有降到七十，這樣五個人加起來能力值是三百八十，比整隊能力值都是一百分的還強。」

麥克緊張地看著李光耀，「我這麼說，可……可以嗎？」

李光耀拍拍麥克的肩膀，「你說得很好啊，你應該對自己多一點信心的。就跟你說的一樣，場上有五個人，但球只有一顆，所以並不是將所有最強的球員聚集在一起就一定會贏，相反的，只要能將球隊裡每個人的能力完全融合在一起，那這支球隊就擁有能夠改變一切的可能性，這，就是我想要打的籃球。」

麥克看著李光耀自信的眼神跟表情，心裡出現兩種截然不同的情緒，一種是羨慕，他好想成為像李光耀這種散發出無比自信的人；另一種是自卑，因為他覺得自己永遠都沒辦法成為像李光耀這種散發出無比自信的人。

李光耀沒有注意到麥克臉上複雜的表情，他雙拳緊握，眼神露出堅定的光芒，「所以，我們一定做得到。」

「做得到什麼？」李光耀思緒跳得太快，讓麥克無法接上他的思路。

李光耀露出笑容，「你剛剛說的啊，能力值，場上五名球員能力值都是一百分的球隊，不正是啟南嗎？而另一支球隊，就是光北！」

麥克張大嘴巴，表情似乎在說「你是認真的嗎」。

進到光北籃球隊之後，麥克除了努力練習之外，也花了一點時間了解啟南這間學校，因此他知道「啟南王朝，無可動搖」這句話是多麼的貼切，也知道李光耀所說的話是多麼天方夜譚，可是不知怎麼地，他心裡竟然覺得只要有李光耀在，翻越啟南這座高牆似乎無不可能。

「放心吧，啟南雖然場上五個位置都是能力值一百的球員，但是光北有我這個能力值兩百的超級球員，只要你們發揮出平常的實力，不要被啟南的名號嚇到，那我就絕對能夠帶領你們擊敗啟南。」

麥克聽著李光耀發下豪語，雖然李光耀偶爾會有這種在極端自信的情況下產生的不良臭屁言論，但麥克並不討厭，甚至覺得頗有趣，看李光耀誇張的肢體語言跟豐富的表情，彷彿李光耀所說的一切都即將發生。

李光耀說得興起，麥克本來也聽得興致高昂，不過當他看到有一個窈窕的身影從後門走進來時，他的表情瞬間變的很奇怪，他用眼神示意李光耀後面有人靠近。

李光耀感受到麥克表情的變化，順著麥克的眼神看向後方，發現謝娜怒氣沖沖地走進教室。

謝娜將信丟到李光耀身上，壓抑著怒氣，「你寫這什麼東西啊？」

信上，潦草的筆跡寫著，**我喜歡謝娜**。

第三章

下午掃地時間，籃球場上卻出現了三個人的身影，分別是麥克、李光耀及王忠軍。

李光耀跟王忠軍已經把制服換下，穿上球衣、球鞋，站在籃球場中，而麥克則是擔心害怕地左右觀望，深怕沈佩宜會突然出現，生氣地叫他們回去掃地。

「就跟早上說好的一樣，我贏了你就要說出你所知道有關謝娜的一切。」李光耀自信地看著王忠軍。

王忠軍點頭，「我贏的話？」

李光耀臉上露出微笑，在籃球場上，他有著無比的自信，「隨便你，反正你不會贏。」

王忠軍臉上沒有任何表情，他用力地把球傳給李光耀，「來吧。」

李光耀雙手感受到傳球的力道，看著王忠軍壓低重心、高舉雙手，雙眼燃燒著鬥志的模樣，臉上笑容的弧度更大了。

這場一對一的單挑要從早自習開始之前說起，因為李明正要求王忠軍在一個月內提升體能，於是王忠軍捨棄腳踏車，直接從家裡跑步到學校鍛鍊心肺能力。

不過一開始還不熟悉自己的體能狀況，所以王忠軍花了比預期中還要多的時間才抵達學校，剛踏進校門時，離早自習開始只剩下十分鐘了。他匆匆換上制服，快步走向一年五班。

才快走到一年五班的後門，王忠軍就看到謝娜滿臉怒容掉頭離開，一走進教室，只見李光耀一臉失望地坐在位子上，麥克則在一旁手忙腳亂，一副著急卻又不知道該怎麼安慰李光耀的模樣。

如果王忠軍沒記錯的話，這是他第一次主動跟李光耀說話。

「你喜歡謝娜？」

李光耀抬起頭來，看到是王忠軍，表情閃過一絲訝異。

「嗯。」

「『嗯』的意思是喜歡還是不喜歡？」

李光耀更訝異了，因為這是王忠軍第一次主動跟他說話，而且話說的還不少。

「喜歡是喜歡，可是……唉……」李光耀嘆了口氣，完全沒有平常的意氣風發，臉上的自信光采也消失得無影無蹤。

「你想知道她為什麼這麼討厭你嗎？」看著李光耀的面容，王忠軍不難猜到剛剛在班上發生的事，絕對跟歡樂沾不上邊。

「你知道為什麼？」李光耀看著王忠軍的表情，就好像溺水的人看到一根浮木一樣。

「大概知道。」

李光耀站起身，用力抓著王忠軍的肩膀，「告訴我。」

這時，早自習的鐘聲響起。

王忠軍等到長達四十秒的鐘聲響完，說：「可以，單挑。」

李光耀沒有拒絕的理由，「掃地時間。」

「一場決勝負。」

「一言為定。」

王忠軍看著單手抓球的李光耀，現在的李光耀散發出驚人的壓迫感，還多了一股無比自信的狂妄，跟早上的他完全判若兩人。

李光耀盯著王忠軍，就好像是蛇盯著獵物，讓王忠軍不自覺緊繃起來。

「我會切右邊。」話一說完，李光耀身體壓低直接往右邊切，王忠軍很快往後退，想要堵住李光耀的進攻路線，但李光耀卻收球，帶一步跳投出手。

李光耀球投出去的弧度很高，王忠軍判斷這球一定不會進，很快轉身衝進禁區，不讓李光耀有機會搶到籃板球，但李光耀卻連動都不動，完全沒有搶籃板球的意圖。

砰，唰！

球落在籃板正中間方框的地方，直接彈進籃裡。

王忠軍這才知道李光耀是故意要打板得分，投球時才刻意拉高弧度。

「二比零，交換球權。」李光耀說。

王忠軍一語不發地拿著球，洗完球後馬上往後退，想要在三分線外出手，不過李光耀不給他這個機會，像跟屁蟲一樣貼了上來。

在防守者趨前防守的情況下，進攻方切入的成功率會大大增加，不過王忠軍實在太喜歡看球從自己手中飛出，以極高的弧度空心進網的感覺，聆聽那清脆的聲響，每次都可以讓他感到通體舒暢。

對於切入禁區與防守者面對面、硬碰硬的肉搏戰，王忠軍有著發自內心的反感，所以王忠軍切入的腳步以及技巧幾乎可以說是零，現在李光耀不給他機會投三分球，等於砍斷了他的雙手。

王忠軍在三分線外運球，試圖擺脫李光耀的防守，但是因為王忠軍完全沒有往禁區切，只是在三分線外徘徊左右運球，加上現在是一對一，沒有人可以幫王忠軍掩護，因此王忠軍完全沒辦法甩開李光耀的防守，最後無可奈何地在離三分線兩步距離的地方勉強後仰跳投出手。

王忠軍的家庭經濟狀況比較貧困，沒辦法提供他正在發育的身體足夠的營養，致使王忠軍身體的肌力沒辦法支持他在這麼遠的地方做出這麼高難度的出手。

球一從王忠軍手上飛出，很明顯的軌道有所偏移，李光耀直接回頭衝到禁區搶下籃板球，再繞到三分線外準備進攻。王忠軍很快跟了上來，在李光耀面前擺出防守架式。

李光耀右手運著球，直直地盯著王忠軍，「跟我想的一樣，你對三分球充滿著狂熱，但是也因為這樣，你完全沒有切入的能力，這點倒是跟我前隊友很像呢。」

王忠軍的回應是伸手抄球。李光耀身體微微往後一側，輕鬆躲過。

「這一球，我要往左切。」

話一說完，李光耀運球往左轉身，快速踏出一步後停下來，眼睛盯著籃框，右手準備收球出手，王忠軍馬上跳起來要封阻李光耀的帶一步跳投，沒想到這只是李光耀的收球假動作。

順利騙起王忠軍之後，李光耀直接往裡面切，輕鬆上籃得分。

「我不是說過我要往左邊切嗎。」李光耀看著王忠軍，露出得意的笑容。

王忠軍默默拿著球，走到罰球線洗球。

感受到王忠軍洗球的力道，李光耀面露微笑，看著王忠軍臉上面無表情，「你還真是個不直接的傢伙。」

王忠軍還是沒理會李光耀，洗完球，面對李光耀的貼身防守，直接做了一個假動作。

李光耀不為所動，連跳都沒跳，「你的假動作太假了，騙不了人。」

王忠軍趁著李光耀說話的空檔，運球往後退到三分線外，馬上跳投出手，但是在出手的瞬間王忠軍看到了一隻大手出現在眼前，心裡因此出現一絲遲疑，而遲疑出手只會導致一個結局，球投不進。

球落在籃框後緣彈了出來，李光耀回頭跳起來抓下這顆籃板球，馬上繞到左側三分線後。

「剛剛可真是嚇死我了，沒想到你出手的速度竟然可以這麼快。」

王忠軍依舊不理會李光耀，因為剛剛兩次防守時太靠近李光耀，讓他能夠以自豪的爆發力予取予求，因此在這一波防守當中，王忠軍後退了半步，想要阻擋李光耀的切入。

「難道你以為我只會切入？」僅僅半步的距離，卻給了李光耀足夠的出手空間，讓他能夠毫無顧忌地拔起來出手。

王忠軍撲上去，但已經太遲了，唰一聲，三分球進。

「七比零。」

王忠軍無言地拿著球，依然面無表情，讓人看不穿他心裡是否因為被李光耀連得七分而懊惱氣餒。洗完球之後，王忠軍直接往後跳，想要趁李光耀來不及防守時將球投出。

王忠軍策略奏效，李光耀確實來不及封阻，不過王忠軍因為加快出手速度，破壞了自己的投球節奏，而且心裡對於剛剛李光耀防守的陰影還在，彷彿剛剛阻擋他的那隻大手隨時會出現，在這種情況之下，王忠軍出手的協調性完全跑掉，球投得太小力，落在籃框前緣直接彈出來。

李光耀抓下籃板球，緩慢地運球到三分線外，居高臨下看著壓低身體防守自己的王忠軍。

「你覺得這一球要切入好，還是跳投好？」

王忠軍連連伸手抄球干擾李光耀，想要藉此打亂李光耀的節奏，不過李光耀絲毫不受影響。

「你還真是一個不可愛的人。」李光耀加快運球速度，變換運球方式，行雲流水地使用胯下、背後、換手運球，配合晃動肩膀的假動作，讓王忠軍完全沒辦法預測李光耀下一步的動作是什麼。

突然在某一個瞬間，李光耀收球，旱地拔蔥式地跳投出手，王忠軍來不及封阻。

球落在籃框內緣，直接彈進籃裡。

「十比零。」

王忠軍拿著球走到罰球線洗球，雖然陷入絕對不利的情況，王忠軍表情還是一樣，沒有緊張，沒有迷惘，沒有驚慌。

因為除了三分球，他什麼都沒有，沒有驚人的彈跳力，沒有快速的第一步切入，沒有能夠將防守者擠開的強壯體格，沒有舉起手像是可以遮住天空的身高。

他只有三分球。

然而在一對一單挑的籃球場上，只有三分球這一項武器，並沒有辦法對李光耀造成威脅。王忠軍在這一次的進攻，又被李光耀的防守給影響到，出手時身體是扭曲的，當然球的軌道也歪了。

李光耀抓下籃板球，繞到三分線外，表情很興奮。

「十三分決勝負，只要我這一次進攻投進三分球，那這場單挑就是我贏了。」李光耀話一說完，重心壓低往右切，完全擺脫王忠軍的防守，收球，兩步上籃，輕鬆取得兩分。

「十二比零。」李光耀撿起在地上彈跳的球，用力丟給王忠軍。

「這是你最後一次在我防守面前拿分的機會。」李光耀壓低身體，將重心放低，蓄勢待發，一副就是完全不給王忠軍有任何得分機會的樣子。

事實上，王忠軍這一球連出手的機會都沒有。

「你們三個，給我過來！」麥克最不希望發生的事還是發生了，沈佩宜氣極敗壞的聲音從一旁傳來，火冒三丈的模樣讓麥克嚇得直發抖。

「跟我回辦公室！」

李光耀聳聳肩，王忠軍還是面無表情，麥克則瑟瑟發抖，「怎麼辦？」

李光耀說：「不怎麼辦。」然後對王忠軍說：「你知道最後贏的人會是我。」

王忠軍冷冷回道：「不一定。」

「你不可能贏我。」

「不一定。」

「我不會給你機會贏我。」

「不一定。」

「你守不住我。」

「不一定。」

「你真是一個很不服輸的人耶。」

「哼。」

「走快一點，吱吱喳喳在說什麼！」沈佩宜臉色鐵青，在前面催促著李光耀三人。

這時，上課鐘聲響起，怒火無法馬上獲得宣洩的沈佩宜，臉色更是一沉，喝斥道：「回去上課，下課後馬上到辦公室來找我！」

李光耀臉上完全沒有做錯事該有的愧疚表情，大步走回一年五班。麥克低頭不敢直視沈佩宜怒火狂飆的臉，緊緊跟著李光耀。王忠軍走在李光耀身邊，一貫的撲克牌臉。

這一節課是化學課，上課老師是助理教練楊信哲。

楊信哲在講台上拿著點名簿，看著李光耀三人走進教室，發現李光耀跟王忠軍的衣服濕漉漉的，王忠軍手上還拿著一顆籃球，會意地笑說：「沈老師知道嗎？」

李光耀點點頭，「知道。」

「準備好面對她的怒火了嗎？」

李光耀聳聳肩，顯得不是太在意。王忠軍直接拉開椅子坐下，從書包裡拿出化學課本準備上課。只有麥克露出擔心的表情。

不過楊信哲的一句話，卻讓李光耀的臉整個垮下來。

「跟各位同學報告一個好消息，那就是，今天小考！」楊信哲放下點名簿，拿出準備好的考卷，「對、對、對，我知道很突然，我知道我很白目，我知道我很賤，可是這樣才能知道你們平常回家有沒有複習化學。別擔心，今天的考試不難，就只是簡單的元素週期表而已，而且分數從五十分起跳，就算什麼都不會，你們還有五十分。」

底下學生的躁動馬上平息許多，楊信哲趁這時候將考卷發下。

李光耀還沒拿到考卷就已經接近放空狀態，一拿到考卷，更是直接發呆。

一直到了下課鐘響，李光耀才回過神來，桌上的考卷已經被收走了。麥克站在他身旁，滿臉緊張擔憂地看著他，「我們要去……找老師了嗎？」

李光耀站起身來，看到王忠軍已經走出教室，「好，走吧。」

三個人同時來到導師辦公室，站在沈佩宜身旁。

經過一節課五十分鐘的時間，沈佩宜的臉色已經沒有一開始的怒火，不過還是繃著一張臉，「整件事是誰提議的？」

出乎沈佩宜、麥克以及王忠軍意料的，李光耀直接對著沈佩宜鞠躬，「老師，對不起，這整件事都是因我而起，跟麥克還有王忠軍沒關係。」

沈佩宜睜大雙眼，她沒想到李光耀竟然會以這種方式認錯，第一年教書就擔任導師的她一時間差點慌了手腳，不過畢竟之前有過實習的經驗，所以很快就讓自己鎮定下來。

「勇於認錯是件好事，但我想你應該知道，掃地時間就是應該用來打掃校園環境，不是拿去打籃球。」

「是。」

沈佩宜嘆了一口氣，「李光耀，你應該還記得，學期一開始我是反對班上的人加入籃球隊，但是後來我放寬這個限制，尊重教練的決定，讓你跟麥克可以加入籃球隊。」

李光耀點點頭。

沈佩宜繼續說：「我尊重學校，也尊重你，可是你也要尊重我啊，尊重是互相的，你懂嗎？」

李光耀又點點頭。

一改之前的強硬手段，這一次沈佩宜用勸導的方式，「我不反對你參加籃球隊，我懂那種想要在高中三年留下美好回憶的感覺。老師也曾經是高中生，了解想要跟別人與眾不同的欲望，可是你要知道，你不可能一輩子打籃球，高中之後還有大學，大學之後可能出社會，可能讀研究所。如果你這時候把全部的精力都放在籃球上，你怎麼考大學？現在的社會是很殘酷跟現實的，別人不會管你高中時籃球打得有多好，只會在意你從哪間大學畢業，你是不是有一技之長，研究所的教授也只會在乎你的大學論文寫的好不好，歷年成績怎麼樣。」沈佩宜語重心長地說：「多放點心在課業上，籃球就當作課餘的興趣就好。」

李光耀看著沈佩宜，發現沈佩宜是真的以老師的觀點在關心他，心裡對沈佩宜的抗拒少了很多，不過這不代表他接受沈佩宜的說法。

「謝謝老師的關心，我有件事想請問老師。」

「請說。」

「老師妳每天都幾點起床？」

這個問題讓沈佩宜愣了一下。

「大概六點。」

李光耀點點頭，「那老師妳都是怎麼來學校的？」

「騎機車。」

李光耀又問：「老師妳是從什麼時候開始決定要當老師的？」

沈佩宜不假思索地回答：「高中時填過一份職涯量表，結果顯示我適合教學這行業，而且家裡的長輩也有從事教職工作，所以大學聯考填志願時我就直接選擇師範學院了。」

「那老師妳真正想做的事是什麼？」李光耀故意在「想做」兩個字上加重音。

李光耀這個問題讓沈佩宜再次愣住，更勾起她的傷心回憶，強烈的酸楚湧上，她必須緊緊抓著椅子才能夠穩定自己，不讓心裡真正的情緒洩露出來。

「只是一些不切實際的想法。」沈佩宜說這話的時候看著李光耀，似乎暗示李光耀現在參加籃球隊的行為，也只是不切實際的事。

沈佩宜說完，李光耀竟然在她眼前慢慢解開制服的鈕扣，「老師，我很謝謝妳剛剛對我說的話。老師妳說得沒錯，籃球不可能打一輩子，世界上有數百萬個喜歡打籃球的人，這當中只有不到百分之一的人可以順利成為職業籃球員，以籃球為職業繼續打籃球，而這些職業籃球員中只有不到百分之一的人可以靠職業籃球員的薪水一輩子養活自己。

「可是老師妳知道嗎，我每天起床時間最晚是凌晨四點，在這個老師妳還在熟睡的時間，我起床練習投籃，投完籃揹上背包，我跑步上下學，每天必須跑二十公里。」

李光耀脫掉身上的制服與裡面的內衣，露出了如同用刀刻般的肌肉線條。手臂、胸口、腹部、後背，完全找不到任何贅肉，青筋浮在皮膚上，讓李光耀的身體充滿了一股野獸般的活力與爆發力。

「我的體脂肪只有六%，這是我每一天用非常刻苦的方式鍛鍊來的。老師，我想要成為籃球員，最強的籃球員，而且我說的不是台灣最強，而是全世界最強。我不需要等到大學做什麼職涯量表，我現在就可以告訴老師，我要做的事，是成為全世界最強的籃球員，而不是老師妳說的，為高中三年留下美好的回憶而已。」

下課鐘響不久後，一年五班幾乎所有人都走光了。除了三個人之外。

李光耀跟麥克在教室後方換慢跑鞋跟輕便的衣服，準備一起跑步到李光耀家練球。李光耀對麥克說今天李明正會教新的東西給他，所以麥克臉上的表情興奮中帶著一點期待。

在換鞋的過程中，李光耀跟麥克輕鬆地聊著天，然後發現王忠軍也在換鞋子跟衣服。

李光耀看著王忠軍換上一雙破舊的慢跑鞋，走到王忠軍身邊，「你的腳踏車壞了？」

王忠軍沒理會李光耀，今天掃地時間跟李光耀單挑的結果讓他完全沒辦法接受。

「現在都沒人了，你可以跟我說謝娜的事了吧。」李光耀用急切的眼神看著王忠軍。

「我沒有輸。」王忠軍不認輸，就算他知道繼續打下去絕對贏不了李光耀，但他就是不想認輸。

「好好好，你沒有輸，但是可不可以先讓我知道謝娜的事。」李光耀差點舉雙手投降。王忠軍是他人生中遇過最倔強的人。

「既然我沒有輸，我為什麼要跟你說？」

李光耀愣了一下，看著王忠軍不屈服的眼神，哈哈大笑。「好，真是個不服輸的人。後天早上，籃球場，我要讓你輸得心服口服。」李光耀對王忠軍眨了一下眼，「別逃。」

王忠軍哼了一聲。

★

丙級聯賽，光北高中對月津高中。

光北先發陣容，後衛搭配是詹傑成與包大偉，鋒線的組合是麥克、楊真毅與魏逸凡。

李明正雙手交叉在胸前，對球員指示：「防守端，今天不用全場壓迫性防守；進攻端，每個人在持球進攻時最多只能運兩次球，其他的就跟之前說的一樣……」李明正嘴角勾起微笑，「享受這場比賽吧。」

「是，教練！」

李明正話一說完，李光耀就從椅子上跳起來，高喊：「隊呼！」

所有人張開雙手，搭在彼此的肩膀上，圍成一個圓圈。謝雅淑自然而然地走進圓圈之中，深吸一口氣，大喊：「光北！」

「加油！」

「光北！」

「加油！」

「光北、光北、光北、光北！」

「捨、我、其、誰！」

完成隊呼之後，裁判哨聲響起，「球賽開始，兩隊先發陣容上前。」

先發五人脫下外套，露出光北的隊服，邁開大步走進場中。月津高中的球員看到光北先發五人，心臟怦怦亂跳。光北高中驚人的戰績早已傳遍整個丙級聯盟，前天月津高中在第四節的拉鋸戰中獲得勝利時，高興得好像飛上雲端，可是這樣的心情只持續不到十分鐘，在他們知道下一場比賽的隊手是光北之後，臉上的開心表情瞬間消失得無影無蹤。

月津高中的球員很清楚自己的實力，也很清楚跟光北高中比賽的結果會是什麼。

月津高中的教練在賽前就感受到氣氛不太對勁，球員沒有前兩場比賽時的躍躍欲試與期待，也看不到他們想在球場上盡情表現自己的企圖心。

月津高中的教練明白原因是什麼，光北高中的強大已經遠遠超越丙級聯賽的程度，所以自己的球員才會在比賽開始前就失去了最重要的鬥志。

於是在抵達球場，熱身結束之後，月津高中的教練放下手中的戰術板，沒有像往常一樣對球員下達這一場比賽採取的戰術，而是對緊張到全身都在顫抖的小球員們精神喊話。

「你們會怕嗎？」月津高中的教練看著自己的子弟兵們緊張的面容，「不要否認，我看得出來你們很緊張也很害怕，因為光北高中實在太強大了，強大到讓你們失去鬥志。尤其在你們知道光北第一、二場比賽都以七十五分這種誇張的分差贏過對手，你們害怕自己也會跟光北之前的對手一樣。」

月津教練深吸一口氣，「其實如果換成是我，我也會怕。在我還是你們這個年紀的時候，我曾經參加過一場五打五的球賽，最高獎金兩千元。那一次球賽讓我印象非常深刻，因為那是我第一次報名球賽。第一場比賽靠著罰球贏了一分，結果第二場比賽遇到了甲級聯賽的球員，照理說他們應該報名社會組的球賽，不該報名一般組，因為程度差太多了。但聽說，他們是想要一口氣拿走一般組跟社會組的獎金，所以才這麼做。

「我們運氣很好，在第二場比賽就遇到他們，包括我在內，我們隊上幾乎所有人都放棄這場比賽，除了一個學弟。那時候，他看到我們垂頭喪氣的模樣，生氣地大喊：『學長，把頭抬起來，讓我們一起創造奇蹟，只要團結，一定可以贏過他們。』在學弟充滿真誠眼神的鼓勵之下，我們抬頭挺胸走上場，結果……」

月津高中的教練感受到球員們炙熱的眼光，兩手一攤，「小蝦米吃大鯨魚的故事當然很激勵人心，我也很希望我有這樣的故事可以跟你們分享，可惜的是，現實跟童話故事總是有著不小的差距，那場比賽我們大敗收場。」

看著球員們失望的眼神，月津高中教練說道：「你們一定在想，為什麼我要跟你們說這一段故事，原因很簡單，看著現在的你們，就好像看到當初的我一樣，面對一群強大到不可能打敗的對手，喪失所有的鬥志。可是你們別忘了，你們不是強者，強者是光北高中，你們是挑戰者，挑戰敵人、挑戰自己，就算面對的是一群不可能打贏的敵人，也要奮不顧身地去挑戰他們，不放棄任何可以得分的機會，不放棄任何可以阻擋敵人的可能，不放棄這場球賽，最重要的是，不要放棄自己。」

月津高中的教練把右手放在心口上，「相信自己，你們做得到。現在，站起來，抬頭挺胸去挑戰光北這個你們從未遇過的強大對手！」

月津高中的球員們在教練的激勵下，重新燃起鬥志，全體站起來大聲回應：「是，教練！」

「苦瓜哥，你猜錯了，月津高中的球員雖然緊張，卻沒有喪失鬥志，你看他們每一個人的眼神還是很銳利。」蕭崇瑜拿著相機觀察著月津高中的球員。

啜飲一口苦澀的黑咖啡，苦瓜揚起眉毛，有些意外，「是嗎？」

「苦瓜哥你自己看。」蕭崇瑜把相機遞給苦瓜，不過苦瓜沒有接下。

苦瓜搖搖頭，「不需要相機，等一下看他們的表現就知道了。」

場上，光北高中與月津高中的球員圍繞在球場中的圓圈周圍，麥克與月津高中的中鋒面對面站著，盯著裁判手中的籃球，雙膝微彎，做好跳球的準備。

嗶！

裁判吹出急促的哨音，把球高高拋起，麥克在球抵達最高點的時候跳起來，利用身高、手長與彈跳力的優勢，眼明手快地將球拍給詹傑成。

在跳球之後馬上快攻，先馳得點，造成對手心理上的壓力，這已經是光北高中前兩場比賽的公式之一。

今天光北高中也打算以同樣的方式快速得分，在麥克跳起來的瞬間，詹傑成就已經做好接球的準備，打算一接到球就往前場快攻取分。

公式最重要的第一個部分完成了，麥克拍到球，而且也拍給了詹傑成。

但詹傑成拿到球，才正準備要轉身時，月津高中的球員卻像鬼魅般，從旁邊把球抄走，而且馬上往前衝。

經驗最豐富的楊真毅與魏逸凡馬上退回後場防守，楊真毅站在三分線，魏逸凡高舉雙手站在底線，一前一後擋下月津高中的快攻。

持球的月津高中小前鋒發現沒有機會得分，光北的球員又全部回來站定防守位置，馬上把球交給控球後衛組織。

控球後衛比出戰術手勢，大前鋒馬上從禁區跑出來幫他掩護。

控球後衛運球往中路切，包大偉被大前鋒的掩護擋住，沒辦法阻擋控球後衛。

楊真毅見控球後衛切進禁區，果斷放棄身邊的小前鋒，上前補防。

月津控球後衛見到比自己更高大的楊真毅補防過來，一個地板傳球，把球交給沒有人防守的小前鋒。

小前鋒一拿到球，發現距離自己最近的防守球員還有兩大步的距離，馬上跳投出手。

月津所有人看到小前鋒空檔出手，心中閃過率先取得兩分的希望。

如果能夠先拿下分數，月津心裡對於光北的恐懼，會消除不少。

可惜的是，那份恐懼不僅沒有消除，反而更放大了。

在小前鋒出手之後，一道巨大的黑色身影突然出現在空中，球就這樣被一隻黝黑的巨手給抓了下來。

小前鋒手還舉在半空，維持著出手時的動作，整個人愣在當場，不敢相信剛剛發生的事。

一看到麥克把球抓下來，李光耀在椅子上高呼一聲，整個人跳起來，「帥啊，麥克！」

「麥克，球！」詹傑成與包大偉同時大喊，像是箭頭般往前衝。

麥克聽到前方的呼喝聲，把球用力地丟向前場。麥克的力道驚人，球落在前場三分線的位置，包大偉速度比詹傑成稍快一些，一追到球就直接兩步上籃取分。

比數，二比零。

光北高中，還是用快攻拿下了兩分。

蕭崇瑜嘖嘖兩聲，為光北高中的強悍感到驚歎，丙級聯賽不是他們該待的地方。

同時，光北高中抄到球，魏逸凡往前飛奔，前面完全沒有人防守，詹傑成把球往前一送。

魏逸凡接到球，往前運了兩下之後，收球跨步，跳起來準備上籃，發現後面有防守球員撲上來，身體在空中撐了一下，等對方撞上來時，維持住身體的平衡，把球投出去。

嗶的一聲，尖銳的哨音響起，球在籃框上彈了幾下，最後還是乖乖地進到籃框裡。

「月津高中三十五號，阻擋犯規，進球算，加罰一球！」

此時，在場邊的李光耀突然站起來，對著自己的隊友大喊：「好球！」

然而，李光耀興奮地喝采完之後，魏逸凡的加罰卻沒進，未能完成三分打。

對月津高中來說，煎熬的是只要有麥克在，籃板球對他們來說就是艱難的任務。

麥克高高跳起，搶下進攻籃板，把球傳給三分線外的詹傑成，詹傑成看到防守球員過來，眼睛望向左側三分線的包大偉，左手卻把球傳給右邊底角的楊真毅。

月津高中的兩隻後衛完全被詹傑成的眼神給騙了，撲向包大偉的時候才發現球根本傳向另外一邊，但這時已經來不及了，楊真毅在右邊底角沒有放過大空檔的好機會，球在空中劃出彩虹般美妙的拋物線，唰的一聲，空心入網。

比數，七比零。

這一刻，月津高中教練在心裡嘆了一口氣，在比賽前他順利地勾起了球員們的鬥志，可是現在看到光北全隊散發出來的壓迫感，他只希望兩隊實力的差距，沒有他想像的那麼巨大。

叭！

代表比賽結束的聲音響起，月津的得分後衛在包大偉與詹傑成的包夾防守下，奮力一跳，身體往後仰，把全身的力氣都貫注在這一次的後仰跳投上。

球高高地飛出，光北與月津高中的球員全部抬起頭，看著球在空中劃過完美的弧度，與籃網激出清脆的聲響。

場邊裁判急促的哨聲響起，雙手在空中揮舞，「進球不算，比賽結束！」

終場比分，七十五比二十五，光北以五十分之差大勝月津。

「兩隊上前握手！」裁判用手勢示意雙方球員上前，光北與月津透過握手表達對彼此的敬意後，各自回到板凳區擦汗休息。

趁著這個空檔，苦瓜馬上走下樓，來到月津高中的板凳區，而蕭崇瑜則是飛快地將攝影器材及設備收好，奔跑下樓，趕在光北高中離開前採訪李明正。

李明正見到蕭崇瑜匆匆忙忙地從樓梯奔跑下來，心裡有那麼一瞬間擔心他會跌跤。不過李明正的擔心顯然是多餘的，蕭崇瑜儘管背上有著後背包，手上也提著看似笨重的提袋，靈巧的身手卻如同武俠小說裡的輕功高手一樣，幾個眨眼間就來到他的面前。

蕭崇瑜大大喘了幾口氣，拿出手機，開啟錄音功能，心裡希望李明正不要再像前兩場比賽一樣難以採訪。

「李教練，這場比賽又拿下勝利，目前球隊三連勝，狀況非常好，請問目前光北球員的表現，是否達到你心裡對球隊設下的目標？」

李明正點點頭，「這幾場比賽他們表現得確實很不錯。」

「光北剛參加比賽就獲得這麼好的成績，實在令人刮目相看，但光北畢竟是一支剛創立的球隊，李教練會不會擔心球員磨合的問題？」

「默契方面的話，確實還有待加強，不過我想隨著比賽經驗的累積，球員之間的磨合與團隊默契是我最不需要去擔心的問題。除了默契之外，今天球員們的各方面表現我都很滿意，他們都做好自己的事，扮演好自己的角色，非常清楚自己在球隊裡的定位，而且在場上的態度很正面，很積極。」

蕭崇瑜愣了一下，李明正這次的回答非常的詳細，語氣也很和緩，完全沒有之前應付式回答的模樣。蕭崇瑜很快回過神來，看著李明正耐心地等待他的下一個問題，連忙接著問道：「三場比賽下來，每一場比賽所採取的戰術都有所不同，不過共通點是快速的傳球與堅強的防守。請問李教練是打算將光北打造成快速球風的球隊嗎？」

李明正微微搖頭，「不，將光北打造成快速球風的不是我，是球員。在接掌光北教練之前，我曾想過這支剛創立又沒經驗的球隊，會不會比較適合穩固型的戰術，但我後來想想，這支球隊適合怎麼樣的戰術，不該由教練決定，而是由球員本身的打球風格決定。經由觀察之後，我發現這支球隊適合打快節奏的戰術。」

蕭崇瑜點點頭，「原來如此。這三場比賽下來，第一、二場比賽分別都贏了七十五分，這場則是贏了五十分，光北所展現出來的實力，很明顯的已經遠遠超越了丙級聯賽的水準。請問光北是不是已經做好要挑戰乙級聯賽的準備了呢？」

這個問題，讓李明正臉上出現一抹笑意，看著蕭崇瑜，他說道：「光北，所做的一切努力，目標一直以來只有一個……」

李明正的雙眼出現鋒利的光芒，豪氣干雲地說：「那就是，甲級聯賽的冠軍！」

另一頭，苦瓜正在採訪月津高中的教練。「劉教練，今天雖然敗給光北隊，但是球員們到了第四節依然沒有放棄比賽，認真地拚搶籃板，不放棄任何一次球權，就算球已經出界了，還是衝出去拚命想救回來，球員的鬥志真的讓人非常印象深刻，請問劉教練是怎麼做到的？」

月津的劉教練點點頭，接受苦瓜的稱讚。「我只是對球員說，我們是挑戰者，尤其面對光北這種不可能打贏的對手，我們更應該抱著挑戰他們的心情上場比賽，不要放棄球賽，更不要放棄籃球。

「台灣的國高中生，大部分都生活在壓抑的環境中，父母親、長輩，甚至是老師都灌輸他們在這個階段只要把書讀好的觀念，結果他們變得只會讀書，什麼都不會。我們以為的保護，其實對他們來說反而是束縛，而且心理上容易變得脆弱。就拿這場比賽來說好了，在辛苦奮戰贏了第二場比賽之後，我的小球員們很興奮也很開心，但是在知道下一場的對手是光北時，興奮的情緒馬上消失不見，而且完全喪失鬥志，還沒開始比賽，他們心中就已經放棄這場球賽，我認為這是一個很嚴重的問題，所以我想透過這場球賽告訴他們，做任何一件事，放棄是第一個要丟掉的念頭，挑戰不可能，才可以將不可能變成可能。」

「原來如此，所以劉教練是想要透過籃球，讓球員學習到上課學不到的東西。」

「沒錯，籃球，可以不只是籃球！」

苦瓜贊同地點了點頭，繼續問：「今天跟光北比賽完，對光北隊有什麼樣的看法嗎？」

「光北是一支實力不屬於丙級聯賽的球隊，很強。」

「請問劉教練有沒有對光北隊的哪一位球員印象比較深刻？」

「有，光北隊的五十五號。」劉教練不假思索地回答。

「為什麼？」

「今天的比賽，很明顯我們的實力相差一截，不過我的小球員們很努力的不讓光北隊有輕鬆快攻的機會，只要光北隊的長人一搶到籃板球，全隊都會馬上回防，所以今天光北隊的快攻得分並不多。只不過就算擋得了快攻，在打陣地戰的時候，光北隊五十五號的傳球完全把我們的球員耍的團團轉，他是我當教練這十二年以來，見過最有天分的控球後衛。」

「好的，謝謝劉教練。」苦瓜關閉錄音功能，結束採訪。

同一個時間，光北高中。

葉育誠與楊翔鷹並肩站在一起，看著工人在操場四周架上十公尺高的高瓦數照明燈。

「楊會長，謝謝你的幫助。」葉育誠對楊翔鷹伸出了右手。

楊翔鷹看著葉育誠，也伸出手，緊緊握著，「不用謝，我跟你一樣，只是想要實現當年沒有達成的夢想而已。」

兩個男人看著彼此，露出了相知相惜的眼神。

「葉校長，其實我知道，你本來可以不僅僅只是光北高中的校長而已……」看著籃球場，楊翔鷹露出了深不可測的笑容。

「楊會長，其實我知道，你本來可以讓真毅到國外讀書的……」看著球場，葉育誠也露出了深不可測的笑容。

兩個男人轉頭看著彼此，不禁同時笑出聲來。

「籃球啊，籃球……」

第四章

王忠軍抹去臉上的汗水，喘著大氣，舉手跟門口的警衛打招呼，隨即走進校門。

這幾天跑步上下學，體力有很明顯的提升。王忠軍回想第一天跑步到學校，在廁所換衣服時，看著鏡子裡的自己，臉色蒼白，連站都站不穩，心臟好像要從嘴巴跳出來一樣。

他沒有時間鍛鍊體力，在楊會長伸手幫忙讓家裡的經濟情況穩定前，他把所有擠出來的時間都給了三分球，除了三分球之外，他的基本動作、運球、彈跳力、爆發力、體能、防守腳步都缺乏練習，樣樣都不行。

現在家裡經濟狀況好了，他告訴自己，一定要趁這個機會將自己的實力往上提升，如果錯失這次的機會，可能就沒有下次了。不過在這之前，他要把未完的單挑結束。

王忠軍走到操場，看到李光耀早已抵達籃球場，正在練習罰球線左右兩邊的帶一步跳投。王忠軍看著球在空中不斷劃過美妙的弧度，落入籃框中，李光耀好像已經將帶一步跳投練到與呼吸一樣自然，球似乎成為他身體的一部分。

李光耀眼角餘光看到王忠軍流著滿身大汗走來，停止練習，笑說：「你來了，我以為你怕輸，不敢來。」

王忠軍冷哼一聲，將背包放到一旁，換上籃球鞋，走到球場上。

李光耀把球傳給王忠軍，「十二比零，我說過了，這是你最後一次可以得分的機會。」

王忠軍又冷哼一聲。

兩人洗球之後，李光耀緊緊貼上王忠軍，不讓王忠軍有出手的機會，雙手還不斷干擾王忠軍的運球。

王忠軍自知自己的運球技巧不好，為了躲避李光耀想要抄球的手，只能不斷往後退，但是不斷後退的結果，就是離三分線越來越遠，王忠軍在三分線外兩步接近三步的距離勉強出手，球落在籃板上彈出籃框。

李光耀抓下籃板球，運球至三分線外，看著壓低身體防守他的王忠軍，「你沒有機會了。」李光耀身體一壓低，往右邊切，一個運球後直接收球，踏兩步，右手將球高高拋起。

王忠軍根本沒想到李光耀會以拋投的方式出手，連跳都來不及跳，眼睜睜看著球高高飛起，快速落下。唰！球精準地在籃框中間落下，激起了清脆的聲音。

「你輸了。」李光耀看著王忠軍。

王忠軍雙拳緊握，看著個子比自己高的李光耀。原來在這個男人面前，自己的實力竟然連一分都拿不到……

「她……」王忠軍信守承諾，準備說出他所知道的關於謝娜的往事，但是在這個時候，場邊走過來一個他們兩個都沒見過的人。

這個人很高，大約有一百九十公分，在李光耀看來，差不多跟麥克一樣高，或矮麥克一點點。

「剛剛那個拋投很漂亮，就算防守有跟上，但是出手的節奏速度太快了，又刻意拉高弧度，要守下來太難了。」

李光耀聽到稱讚，雖然說對方是個陌生人，依然不改臭屁的個性，搖搖手指，「你錯了。」

陌生人愣了一下，自己明明是稱讚，怎麼換來的是這種回應。不過李光耀很快補上一句：「是根本擋不下來！」

「你是誰，我沒見過你。」學校裡的高個子李光耀都有印象，所以他很確定沒見過眼前這個人。

陌生人說：「我聽說光北成立籃球隊，所以想來看看，不過我是不是跑錯地方了，怎麼沒有人練習，籃球隊在別的地方練習嗎？」

「你沒跑錯，只不過昨天有比賽，所以今天早上沒有練習。」

陌生人臉上閃過失望，「原來如此。你的動作很漂亮，你也是籃球隊的嗎？」

李光耀點頭，「是啊！」

「你真是厲害，昨天比賽完，今天還有力氣跑來練習。」

李光耀笑道：「因為我昨天沒上場。」

陌生人心想，原來是板凳球員，應該是想要進入先發名單，所以才來加強練習。

陌生人走進球場裡，「我有一陣子沒打籃球了，你可以陪我嗎？」

李光耀欣然答應，「那有什麼問題。」直接把手上的球傳給陌生人。

陌生人臉上勾起詭異的笑容，「那就先謝謝了。」

★

放在床頭櫃的手機響起，躺在床上的葉育誠咕噥一聲，翻身拿起手機，看到螢幕上顯示的是一個熟人的名字，很快接起來。

「阿哲，你這麼早找我幹嘛？」

電話另一頭，「流氓，這麼晚還在睡，校長這麼好當啊？」

葉育誠打了個哈欠，「我家離光北近，開車到學校只要十五分鐘，當然可以睡晚一點。這麼早打電話來幹嘛？」

「嗯，是這樣的，你也知道我兒子就讀的新興高中籃球隊解散了，所以他就跑去參加啟南高中的測驗，測驗也過了，但是他因為一直沒有被升上一軍，跟球隊還有教練鬧得很不開心，他的個性跟你以前一模一樣，很衝，所以就這樣離開啟南了。最近我帶他去了幾間學校測試，不過因為個性關係，雖然實力合格，但是教練都不是很喜歡他，而且他更不喜歡教練，所以都沒找到喜歡的學校就讀。這一兩天我帶他到榮新測試，想說順便帶他去光北看一下。我的兒子心高氣傲，自恃甚高，看不太起甲級以下的球隊，只是我相信明正會有辦法。」

葉育誠聽出好友的弦外之意，「你的意思是，你想讓你兒子來光北高中？」

「如果可以的話，我當然希望我兒子到光北出一份力。」

「你跟明正說過這件事了嗎？」

「還沒。」

「你打算什麼時候過來？」

「這一兩天。」

「好，我知道了，我再撥電話給你。」

「好。」

掛掉電話的葉育誠，興奮難掩，他知道自己的好友兼前隊友高聖哲有個兒子在打籃球，而且打得很不錯，但高聖哲後來就到台北工作，從此在台北安頓下來，所以當初雖然知道新興高中籃球隊解散，但是他想光北離台北太遠，又是剛成立的球隊，而高聖哲的兒子已經高二，葉育誠擔心會影響到高聖哲兒子的籃球生涯，所以就沒有積極招攬高聖哲的兒子。但現在既然高聖哲自己主動提出來，情況就不一樣了。

葉育誠馬上撥電話給李明正，對於讓高聖哲的兒子留在光北，為光北隊奮戰，已經有勢在必得的決心。

★

王忠軍坐在場邊，看著李光耀與陌生人單挑。跟自己比起來，陌生人跟李光耀單挑的過程很不一樣，但結果卻相同。

球場上，李光耀持球進攻，陌生人蹲下身體，雙手舉高，認真地防守李光耀。李光耀的右手手臂有道明顯的擦傷，這是陌生人接到他的傳球後，第一次進攻時故意將他撞倒所留下的傷痕，而且將他撞倒之後，陌生人連停都沒停下來，直接上籃得分，球進後還故意看著李光耀，「你太瘦了，一撞就倒，難怪只能坐板凳，沒辦法先發上場。」

見到這一幕，王忠軍訝異地瞪大雙眼，從陌生人打球的動作跟爆發力，不難看出他是個經過訓練的人，但現在畢竟不是比賽，甚至連練習都不算，他進攻時撞李光耀那一下，實在有點太刻意了。王忠軍維持天字一號表情，心裡卻擔心等一下會演變成拳頭對拳頭的單挑。

不過王忠軍的擔心顯然是多餘的，李光耀默默地站起來，拍拍身上的灰塵，走到三分線，伸出手，「二比零，攻守交換，換我進攻。」

陌生人看著李光耀臉上的笑容消失，把球丟給李光耀，臉上勾起一抹冷笑，「好，來吧。」

陌生人張開雙手，站得挺直，並沒有把重心壓低，雖然看到李光耀切入的速度很快，但雙方的身高差距約十公分，就算李光耀速度再快，陌生人還是有自信可以從後面賞李光耀一個大火鍋。

以李光耀剛剛展現出來的速度，陌生人的確有能力封阻，不過李光耀方才的對手是防守腳步不佳的王忠軍，所以他根本沒有使出全力，更沒有將自己的速度完全展現出來。

李光耀看著陌生人，深吸一口氣，身體壓低往右邊切，一個跨步就過了陌生人，等到陌生人驚覺李光耀的速度超出他的預期時，李光耀已經奮力跳起來，右手把球用力塞進籃框裡。

砰的一聲，籃球架止不住地搖晃，王忠軍還以為籃框會被李光耀扯下來。

李光耀撿起在地上彈跳的球，丟給陌生人，「換你。」

陌生人心裡惱怒起來，被李光耀過就算了，還被他用灌籃的方式拿分，根本是赤裸裸的羞辱。

陌生人拿球做一個投籃假動作，但李光耀全然不為所動，整個人散發出一股壓迫感。陌生人冷哼一聲，左右晃肩之後往右邊切，李光耀跟了上來，陌生人故技重施，又故意撞了李光耀一下，但是先前把李光耀撞倒，是因為李光耀沒有心理準備，現在李光耀已經知道陌生人的打球方式，重心壓低，肌肉繃緊，抵擋住陌生人的撞擊，同時右手竄進陌生人懷裡，把球撥走。

李光耀把球撥走後，馬上衝上去把球抓下來，運球繞到三分線外，等待陌生人防守過來。

陌生人又惱又恨，他將重心放低，雙手舉高，認真地防守李光耀。

李光耀身體壓低，跨出右腳，又是往右邊切，陌生人重心壓低後，防守的反應也更快，往左邊橫移一步擋住李光耀，正想要抄李光耀球的時候，李光耀卻一個轉身擺脫陌生人的防守，完全把他甩在後面，然後又是一次大灌籃。

李光耀撿起球，丟給陌生人，「再來。」

王忠軍看著李光耀連續兩次大灌籃得分，才知道李光耀之前單挑的時候完全沒有使出全力。

陌生人表情鐵青，接球，做了一個向右的試探步，接著下球往左切。李光耀沒有被陌生人突破，擋下陌生人的切入，同時做好被撞的心理準備，不過陌生人很快一個轉身，一樣甩開李光耀，同時收球上籃，球投出的瞬間手感很好，陌生人心裡很有自信這球一定會進，但他還來不及高興，球飛到一半，李光耀竟然像是打蒼蠅般直接把球拍下來，蓋了他一個大火鍋。陌生人臉上的表情越來越難看。

李光耀在球出界之前撿起球，繞到右側三分線外，身體一壓低，往左邊切，陌生人連忙往後退，但李光耀右腳往前一踏，身體踩煞車般急停，接著往後一跳，腳踩在三分線外，收球，毫不猶豫地將球投出。

以為李光耀會繼續往禁區切入的陌生人，重心已經往後退，根本來不及阻擋李光耀，只能眼睜睜看著球在空中劃過一道彩虹般的弧線，唰一聲，空心進網。

投進三分球後，李光耀走出籃球場，「不打了！」

陌生人氣得發抖，「你說什麼，還沒結束，你想逃嗎？」

李光耀用銳利的眼神盯著陌生人，冷冷地說：「我不喜歡跟一個比我弱的人打球，想要挑戰我，先把基本動作做好再說。我叫李光耀，不管你要花十年還是二十年練基本動作，我都等你。」

陌生人覺得自己被李光耀狠狠地羞辱了，他看著李光耀抓起後背包離開操場，大喊：「等一下！」

李光耀完全不理會陌生人，頭也不回地朝教室大樓的方向走去。

生平第一次被人輕視，陌生人雙手緊握著拳頭，身體氣到發抖，大喊：「你給我記住了，我叫高偉柏，我很快就會打敗你！」

★

「是，不好意思，麻煩你了。」

高聖哲掛上電話，轉頭看著坐在床頭的高偉柏，「兒子，你真的確定？」

剛洗好澡的高偉柏，微濕的頭髮上掛著一條毛巾，身上只穿著一件內褲，展露出健美的身材，「你不是希望我去光北嗎？」

高聖哲看著突然改變心意的高偉柏，「是沒錯，可是你一整個早上不見人影，中午回來之後就說要去光北高中，連榮新的測驗都取消不去了，你不跟我說怎麼一回事，我沒辦法開心啊。」

高偉柏緊咬牙根，今天早上的事他實在說不出口，太恥辱了！

高聖哲看著兒子緊繃的臉色，深深了解兒子倔強的個性，知道自己是問不出個所以然了。

高聖哲嘆了口氣，「那我現在打給校長，跟他確認測驗的時間？」高聖哲拿起手機，用詢問的眼光看著高偉柏。

高偉柏點點頭，心裡已經下定決心，他要在光北所有球員跟教練面前，將他今天所受到的羞辱，加倍奉還給那個狂妄的傢伙。

高聖哲一撥出電話，沒多久就通了，「喂，流氓，我是阿哲。我帶兒子去看一下，你看什麼時候方便？」

電話另一頭的葉育誠思考一會，給了一個時間。

「今天晚上？」高聖哲用詢問的眼神看向高偉柏，見高偉柏點頭，高聖哲馬上回道：「好，沒問題，那就晚上見了。」

高聖哲掛上電話，看著高偉柏。高偉柏用充滿鬥志的眼神回應著高聖哲。

高聖哲說：「晚上七點，做好準備。」

光北高中的球員站在操場上，表情興奮。在楊翔鷹的贊助下，晚上七點的光北操場，依然明亮得跟白天一樣，佇立在操場四周的高大燈柱，完全驅走了黑暗。

今天，是光北高中籃球隊首次的晚間練習，全員到齊，而且還有一個新人加入。

葉育誠帶著高聖哲與高偉柏走到隊員前面，葉育誠輕咳幾聲，對著球員說：「大家好，現在在我旁邊的是之前新興高中的前鋒，今天會一起參與球隊的練習，未來也有可能成為籃球隊的一份子，我們用掌聲歡迎他！」

李光耀認出高偉柏，對高偉柏沒什麼好感的他，僅應付式地輕輕拍手，而身邊的麥克看到李光耀翻了白眼，動作又只是在應付校長，雖然不知道發生什麼事，卻也學李光耀隨便拍了幾下手。除了李光耀之外，魏逸凡看到高偉柏眉頭馬上皺了起來，手也是敷衍地拍一下而已。

籃球隊最強的兩個人反應都異常的不熱烈，其他人嗅到了不對勁的氣氛，掌聲因此變得斷斷續續。沒想到球員會有這種反應的葉育誠，臉上出現一絲尷尬，於是直接將場面交給李明正。

李明正看了高偉柏一眼，問：「有沒有什麼話想對大家說？」

高偉柏對剛剛的掌聲絲毫不在意，掃了光北隊員一眼，眼光特意在李光耀身上停留一會，大聲說：「大家好，我叫高偉柏。高大的高，偉大的偉，柏樹的柏。我的目標是成為全台灣最強的球員！」

聽到高偉柏如此猖狂的自我介紹，李光耀臉上不悅的神情消失了，取而代之的是笑容。不知道為什麼，李光耀突然覺得自己沒那麼討厭高偉柏了。

「好，有明確的目標是一件好事，先入隊。」李明正站在球員面前，「今天練習的主要項目是防守，主要在於多打少的弱勢防守，還有一些外線投射、空手跑位的練習。光耀出來帶操，熱身結束之後跑五圈。」

李明正看了手錶，晚上七點十分，他預計所有項目可以在兩個小時內練習完畢，讓球員不至於太疲累，影響到明天早上的晨練。

李明正讓到旁邊，李光耀上前取代他的位置，開始帶著隊友進行熱身。

李明正走到葉育誠、高聖哲和吳定華身邊，四個高中隊友聚首，李明正看著高聖哲，笑吟吟地說：「阿哲，怎麼比起上次，你的頭髮好像更少了，肚子卻更大了？」

高聖哲苦笑，「你這傢伙倒是一點都沒變，一樣欠揍。」

李明正笑了笑，「你兒子長得又高大又英俊，還好沒像到你。」說完，李明正摸摸高聖哲的大肚子。

高聖哲看著李明正，從以前到現在完全沒變的個性，令人忌妒的壯碩身材，高中時期風靡全校的俊臉不過也多了幾道皺紋而已，頭髮跟以前一樣短而茂盛，高聖哲搖頭苦笑，李明正從以前就是個異類，就算到了現在也一樣。

不過高聖哲看著高偉柏，心裡感到欣慰與驕傲，至少我有一個異類的兒子。

場上，球員已經熱身完畢，在李光耀的帶隊之下，開始慢跑。

因為明天早上還要繼續練習，所以李光耀的步調放得很慢，其他人也很有默契地跟在李光耀後面，但是剛開始跑沒多久，突然有一個高大的人影往前衝。

高偉柏超過李光耀的時候，故意回頭往後看了一下，露出挑釁的表情。球技他比不上李光耀，這他承認，可是他的體能就算在新興高中籃球隊也是數一數二的，他有自信在體能部分可以討回顏面。

看到高偉柏一個人跑在最前頭，高聖哲臉上出現笑意，他真心為自己生出這樣的兒子感到驕傲。

「明正，你兒子不是也在籃球隊裡面嗎，是哪一個？」高聖哲的言語充滿了比較的意味，彷彿在說二十多年前我比不過你，可是沒關係，我兒子比你兒子還要厲害。

李明正笑吟吟地說：「你馬上就知道是誰了。」

高聖哲沒有再問，他認為李明正只是在敷衍，一股驕傲的情緒油然而生，但是很快的又消失不見，因為他真的馬上就知道李明正的兒子是誰了。

李光耀加快速度，雙腿好像裝了馬達一樣，追上高偉柏。

在高偉柏腦海中，今天早上李光耀兩個大灌籃的場景還歷歷在目，灌籃的炸響依然環繞在耳旁，心高氣傲的高偉柏自尊受到嚴重的衝擊，他剛剛故意回頭看那一眼，就是在挑釁李光耀，想要在體能上與他一較高下。現在李光耀如他所預期地追上來了，高偉柏臉上頓時出現冷笑。

高偉柏心想，光北這種剛成立的小球隊，體能訓練怎麼可能比得上新興高中，李光耀你就等著在大家面前丟臉吧！

高偉柏加快速度，想要把李光耀遠遠甩在腦後。兩旁的景物不斷往後退，風在耳邊呼嘯，心臟在胸腔裡鼓動，高偉柏毫無保留地奔跑，他有自信，以這樣的速度跑一圈之後，他就可以看到李光耀想要追上他，但是臉色蒼白跑都跑不動的模樣。

高偉柏已經在心中寫好了劇本，首先在眾人面前利用驚人的體能建立威信，然後用實力成為光北籃球隊的老大。現在丙級聯賽根本沒有強隊，以他的實力一場比賽拿四十分完全不是問題，接著按部就班取得球探的注意，利用光北高中當墊腳石，跳到別的籃球隊。

現在解決李光耀，報了早上的一箭之仇，雖然對之前榮新高中的魏逸凡竟然出現在光北隊裡感到意外，但這不是什麼太大的問題，高偉柏相信他可以擊敗魏逸凡，成為光北高中的老大。

高偉柏整個心神沉醉在自我的美好想像之中，但是從後方傳來的腳步聲與喘氣聲將他拉回現實。他往後一看，才發現應該要被他遠遠拋在腦後的李光耀，竟然像影子般緊緊跟在他身後。

高偉柏找了個理由說服自己：一定是我剛剛分了神，速度不自覺慢了下來，才讓這傢伙有機會追上來，哼！

高偉柏拋去腦中的紛亂念頭，全心全意加快速度想甩開李光耀，但李光耀還是緊緊地跟在後面。

李光耀看著高偉柏的背影，其實他有很多機會可以超過高偉柏的，但他故意跑在高偉柏後面，為的是造成高偉柏心理上的壓力，讓高偉柏持續處在被他追著跑的煩躁之下，以高偉柏的個性，一定會在某個時間點出現破綻。

高偉柏不斷回頭，發現李光耀始終沒被他甩開，緊張與煩躁感像是積木般越疊越高，在父親、教練與光北球員面前，堂堂新興高中的先發前鋒竟然被一個名不見經傳的球員緊跟在屁股後面，高偉柏的自尊心無法容忍這種事情發生。

高偉柏不顧還有兩圈八百公尺要跑，把速度加快到極致，風在耳邊尖叫，兩邊的景物變得模糊，雙腿好像有無數的針在刺一樣，心臟猛烈撞擊胸腔，咚、咚、咚低沉的聲音從體內傳來，全身各處都感受得到心臟鼓動的震盪。

有那麼一瞬間，高偉柏以為心臟要炸開了。

以這樣的速度跑一圈之後，高偉柏回頭看，李光耀在他身後十公尺的距離，高偉柏心裡冷笑，只要我使出全力，我們兩個的差距就很明顯了！

這個念頭出現後不久，高偉柏的速度慢了下來，但是還有最後一圈要跑。

高偉柏發現事情不妙，想要邁開腳步以剛才的高速奔跑，但雙腿好像灌了水泥一樣，就連把腳抬起來這個簡單的動作都耗費他許多力氣，呼吸也變得沉重，吸的氣少，吐的氣多。

血液裡的氧氣含量變少，身體的肌肉得不到足夠的氧氣，這時左側腹傳來劇烈的疼痛。高偉柏臉色蒼白，知道這是體內氧氣不足所引來的側腹痛，連忙想要調節呼吸，但調節呼吸就意味著速度要慢下來。

李光耀看到高偉柏速度慢下來，瞬間加快速度！

高偉柏才開始調整節奏，準備深呼吸時，李光耀從他身邊快速閃過。

高偉柏眼睛瞪大，他不能容忍這種事情發生。不管左側腹的疼痛，他再次邁開腳步想要追上去，但是不管他再怎麼努力，李光耀的背影依舊離他越來越遠。

李光耀把速度加到最快，不給高偉柏任何追上他的機會，以絕望的方式，擊潰高偉柏高傲的自尊心，然後率先抵達終點，跑完五圈。

李光耀喘著大氣，身體的熱氣變成汗水冒了出來，他站在終點的位置，心裡默默數著秒數。

高偉柏的腳步完全慢了下來，原本的自信心被李光耀狠狠擊成碎片，而就在這時候，魏逸凡也從他身旁超了過去。

高偉柏黯淡的眼神出現了火花，他無法容許一次輸給兩個人！

高偉柏緊咬牙根，拾起僅存的那一點尊嚴，利用體內殘餘的那麼一點力氣，追上魏逸凡。

魏逸凡與高偉柏在終點前展開激烈的追逐，高偉柏知道魏逸凡曾經是被榮新寄予厚望的新人前鋒，魏逸凡也知道高偉柏是新興高中的問題兒童，個性難搞，但是能夠站上新興高中先發前鋒，證明在教練眼裡，高偉柏實力帶來的貢獻比個性惹來的麻煩還要多。

魏逸凡知道如果高偉柏真的加入光北，很可能會跟他競爭先發大前鋒的位置，魏逸凡要趁這個機會讓高偉柏知道，自己才是光北不動的先發大前鋒，同時也告訴站在旁邊的教練與校長，他比高偉柏強！

高偉柏剛剛已經輸給李光耀，現在魏逸凡竟然也想要擊敗他，高偉柏奮力地跑著，他一天之內輸給同一個人兩次，他認了，但是他沒辦法接受同一天輸給兩個人。

魏逸凡與高偉柏兩人在終點前幾乎並排跑著，不給對方超越自己的機會，但高偉柏在剛剛與李光耀的競爭中實在流失太多體力，左側腹的痛楚越來越劇烈，超出他所能忍受的極限，最後不得不在終點前慢下腳步，給了魏逸凡率先抵達終點的機會。

跑完五圈之後，高偉柏表情痛苦，他按壓著左側腹，希望能夠舒緩一點疼痛，但舒緩不了的，是心裡的不甘心。

李光耀看著高偉柏，說：「十秒，從我抵達終點到你抵達終點的時間，整整差了十秒。」

高偉柏抬起頭看著李光耀，李光耀用他難以承受的熾熱眼光回應他：「如果你被我超過之後沒有放棄，這個差距可能只有五秒，而你可能也不會輸給魏逸凡。」

高偉柏心中的不甘心更重了，甚至帶了點憤恨。

李光耀看著高偉柏的眼神，完全不害怕，「等一下還有別的訓練，記得要跟上。」丟下這麼兩句話之後，李光耀逕自走到一旁喝水休息。

場邊的李明正清楚看到高偉柏咬牙切齒的表情，對身旁的吳定華說：「今天的練習，加重分量。」

吳定華皺起眉頭，「這樣好嗎，明天早上還要練習。」

「放心，我有分寸。」

「嗯。」吳定華點頭。反正從以前到現在，李明正一旦決定的事，天底下沒有任何人可以改變他的心意，現在問自己意見，相信也只是「象徵」性地詢問一下而已。

李明正臉上露出笑容。看到這個笑容，吳定華知道球員們將會有一個非常難忘的夜晚了。

兩個小時後，光北籃球隊第一次夜間練習結束了，在李明正特製的訓練菜單下，沒有人是站著的，李光耀也不例外。

不過李光耀是每次訓練都最快完成的人，而且李光耀在完成李明正要求的分量之後，還一直持續練習到最後一個人完成為止，所以李光耀同時也是練習量最多的人。

李明正用滿意的眼神看著自己的球員，今天的練習量比起球隊第一天練習還要多，但是在今天的練習當中，沒有任何一個人喊累。

李明正明白這一切都要歸功於高偉柏。

高偉柏的脾氣跟個性都不是很好控制，這點很容易看出來，可是因為高偉柏的關係，李光耀跟魏逸凡都在練習時拚盡全力，球隊裡最強的兩個人卯起來練習，團隊的氣氛因此完全被帶起來。

楊真毅雖然個性較為內斂，可是同樣不甘心屈於人後，加上他現在已經高三了，能打球的時間並不多，所以為了追上李光耀與魏逸凡，他將自己一次又一次逼到極限。謝雅淑雖然是女生，卻更因此而不服輸，自我要求極高，咬牙完成訓練，絕不讓人有她是女生所以比較弱的想法出現。

至於其他體能比較差的人，麥克沒有那種不甘心或不認輸的心態，他的想法很簡單，他想要盡力跟上李光耀，跟上大家，這樣他才不會是被丟下的那個人，他想要成為團隊的一份子。

包大偉知道自己是籃球隊裡最沒有才能的人，不會得分，不會搶籃板，不會傳球，所以他知道每一次練習對自己的重要性，看著李光耀、魏逸凡、高偉柏的背影，紮紮實實地做好每一次練習。

至於之前因為重度抽菸導致體能極差的詹傑成，同樣有著強烈的好勝心，在體力耗盡之後，硬是用意志力撐過最後一段練習。

此刻，每一個人都坐在球場上，身上的球衣甚至球褲都濕透了。

體能不好的包大偉與詹傑成臉色蒼白，不斷喝著水，連說話的力氣都沒有。

李明正站在一旁，等球員喝水休息，呼吸緩和之後，宣布解散。

因為時間很晚了，葉育誠不放心球員們獨自回家，便和吳定華與李明正商議好，開車載球員們返家。

★

高聖哲父子回到飯店後，高偉柏很快到浴室沖了個熱水澡，走出浴室，高偉柏累得直接將自己拋到舒服柔軟的床上。這麼高強度的訓練，就算是在新興高中也不是每天都會發生的事。

高聖哲看得出來高偉柏已經累壞了，為了讓他能獲得充分的休息，高聖哲動作放輕，盡量不要吵到兒子。

出乎高聖哲意料的，高偉柏躺在床上，閉著雙眼說：「爸，李光耀是不是你對我說過很多遍，你們當年擊敗啟南那個很強隊友的兒子？」

「嗯，就是他。」

「爸，我要去光北。」

「好。」高聖哲聽得出高偉柏是認真的。

「爸。」

「嗯？」

「我會比他更強。」

高聖哲露出欣慰的笑容，「我相信你。」

高偉柏發出鼾聲。

高聖哲拉起被高偉柏壓在身體下的棉被，眼神充滿慈愛，將棉被蓋到高偉柏身上，然後把房裡的燈關掉，只留下一盞小夜燈。

聽著高偉柏的鼾聲，高聖哲感到欣慰。

高偉柏從小脾氣就不好，高聖哲以為讓他接觸籃球，把精力全部花在籃球上就會改善，畢竟葉育誠就是一個很好的例子。沒想到反而變本加厲，高偉柏把難搞的個性帶到籃球場上，變成教練眼中的問題兒童，要不是高偉柏真的很有天分，高聖哲相信高偉柏早已被踢出籃球隊了。更讓高聖哲感到慶幸的是，新興高中的總教練竟然可以壓制得住高偉柏的脾氣，讓他乖乖聽話，把專注力集中在對手與比賽上。

高聖哲原以為自己可以放心了，殊不知新興高中突然解散籃球隊，高聖哲著急地將高偉柏送到啟南，希望啟南可以跟新興高中教練一樣壓制住高偉柏的個性。沒想到才練習第一天，高偉柏就跟學弟幹架，然後就一直被啟南冰在二軍裡面。

以高偉柏高傲的個性，當然忍受不了這種事情發生，於是疼愛兒子的高聖哲，帶著高偉柏從北到南，去每一間擁有甲級籃球隊的學校測試，但高偉柏的難搞似乎已經出了名，所以獲得的回應都不太正面。後來高聖哲突然想到葉育誠對自己說過，回到母校光北成立籃球隊的事。

高聖哲在電話中跟葉育誠說得好聽，其實只是想碰碰運氣，順便看看自己高中三個前隊友到底搞出什麼名堂。

高聖哲沒想到，去過那麼多支球隊，光北是唯一一間高偉柏主動說出要加入的球隊，而且態度非常堅決。

高聖哲衷心希望李明正與吳定華可以好好教導高偉柏。

一想到李明正，高聖哲就想到李明正的兒子，他今天的表現，完全壓制了高偉柏。

高聖哲心想，這樣也好，總要有人挫挫偉柏的銳氣，太驕傲不是一件好事。

然後，高聖哲默默感歎，怪物的兒子，也是怪物。

第五章

光北高中的第四場丙級聯賽，熱身時間。

愛上攝影的蕭崇瑜，手上拿著某日系品牌的全片幅相機，聚焦在光北隊的球員身上，完全不管光北今天的對手，雲陽高中。

苦瓜坐在蕭崇瑜旁邊，喝著熱騰騰的黑咖啡，又苦又澀的滋味讓他的精神多少清醒一些。

「別只顧著拍光北，雲陽高中也要拍。」

「是，苦瓜哥。」蕭崇瑜繼續拍照，突然發出疑問的聲音，「嗯？」

苦瓜喝著咖啡，沒理會蕭崇瑜。

過了一會之後，蕭崇瑜問：「苦瓜哥，你看，光北的板凳區坐著一個人，感覺好像在哪裡見過。」

苦瓜被蕭崇瑜勾起好奇心，「相機拿來，我看看。」拿過相機，苦瓜右眼湊到觀景窗上，半按快門，讓相機強大的自動對焦功能幫他合焦。看著坐在李光耀身邊的人，苦瓜驚呼一聲：「是他！」

蕭崇瑜驚訝地看著苦瓜，心裡對苦瓜的佩服又提升了一個層次。看似懶散的苦瓜，其實擁有非比尋常的記憶力，「苦瓜哥，你知道他是誰？」

苦瓜把相機還給蕭崇瑜，臉上疲累的神情瞬間消失不見，從後背包中抽出平板電腦，利用搜尋引擎找到剛剛浮現在腦海中的資料，「對了，就是他！新興高中的問題兒童，高偉柏。」

苦瓜看著高偉柏的資料，喃喃自語地說：「不管是國中或高中，都有過與對手發生衝突事件的頭痛人物，可是新興高中的總教練在某一次賽後，對採訪記者為何要將高偉柏拉拔到先發陣容的質問，只說：『我認為他擁有成為全台灣最強前鋒的潛力！』」

苦瓜的手指在平板電腦上不停滑動，「在後來的比賽中，似乎在應證新興高中總教練的話，問題兒童高偉柏連續三場比賽轟下至少三十分、十二個籃板、五次火鍋的好成績。雖然一百九十三公分的身高在禁區不算特別有優勢，但壯碩的身材加上毫不畏懼籃下衝撞的強悍心理素質，讓高偉柏更是站穩了新興高中先發前鋒的位置。

「在新興籃球隊解散後，所有的球員都找到了接納他們的籃球隊，高偉柏也是一樣，他加入了擁有王者之稱的啟南高中。」

苦瓜的手指終於停止滑動，看著蕭崇瑜，眼神中閃爍著興奮的光芒，「關於高偉柏的資料，到這裡就中斷了。」

蕭崇瑜皺著眉頭，「可是他現在卻出現在光北高中？」

苦瓜沉思一會，緩緩說出自己的想法：「雖然高偉柏天分不錯，但是他的個性對球隊來說是一顆不定時炸彈，而啟南高中先發球員的競爭絕對是全台之最，甚至連職業球隊都不一定比得上，以高偉柏的實力跟個性，我想他很難跟在新興高中時一樣獲得啟南教練的信任，站上先發前鋒的位置，所以他會放棄啟南，跑到別間學校也是可以理解。」

蕭崇瑜眉頭依然緊皺著，「但為什麼是光北？」

苦瓜也皺起眉頭，「這也是我剛剛在思考的問題，不過這個問題可以等這場比賽結束後，利用採訪機會得到答案。」

苦瓜將平板電腦收起來，拿出筆記型電腦，臉上出現興奮的笑容，「現在，我們又可以增加一筆光北高中的資料了。」

比賽即將開始，麥克、魏逸凡、楊真毅、包大偉、詹傑成走上場，謝雅淑、李光耀與高偉柏坐在板凳席上觀戰。

李光耀與謝雅淑早已習以為常，但高偉柏則露出不耐煩的表情。看別人打球，自己卻不能上場，這比輸給李光耀還難受！

李明正發現高偉柏情緒的變化，淡淡地喊了聲：「高偉柏。」

高偉柏感受到李明正的目光，心裡一緊，連他都不知道為什麼的從椅子上彈起來，像軍人一樣立正站好，「是，教練。」

「現在站在場上的都是你的隊友，在光北，我只會用想為光北打球的球員，就算那名球員實力不強，我還是會用。一心只想為自己打球的球員，不管他實力再怎麼強，我都絕對不會用他。」

「是，教練！」

李明正掃了高偉柏一眼，「好好看著你的隊友打球，看他們每一個人的打法，看他們每一個人的特點，你是這支球隊的一份子，要知道該怎麼融入球隊之中。」

高偉柏雙手緊貼大腿外側，雖然李明正語氣平淡，但是散發出來的威嚴，讓高偉柏像是面對將軍的小兵般，動也不敢動。

「坐下吧。」李明正說。

「是，教練！」高偉柏心裡鬆了一口氣，坐了下來，臉上已經沒有剛剛的不耐煩跟漫不經心。

此時，在裁判的手勢示意下，雙方球員結束熱身，脫掉身上的外套，先發球員走到場上，在中場的位置站好。

嗶一聲，比賽開始，裁判將球高高拋起，麥克跳球時利用身高與彈跳力的優勢順利把球拍到前場。

詹傑成跟包大偉像是兩支飛箭一樣往前狂奔，詹傑成追到球，見到包大偉繼續往前衝，直接把球用力一拍，將球送到包大偉面前。

包大偉輕鬆接到球，兩步上籃，得分。

比數，二比零。

得分之後，詹傑成、包大偉留在前場，楊真毅與魏逸凡站在中場，麥克站在後場罰球線的位置。

全場壓迫性防守。

這並不是一場精彩的比賽，因為雙方的程度差異太大，雲陽高中完全抵擋不了光北的快攻攻勢，更突破不了光北的全場壓迫性防守。光是上半場，比分已經拉開到五十分，誰都看得出來雲陽高中根本沒有贏的機會。雲陽的球員每一個都垂頭喪氣，因為他們連半場都過不了，球一發進來就被壓迫防守，過不了詹傑成與包大偉，就算傳球也只會馬上被虎視眈眈的魏逸凡與楊真毅抄走。

上半場的比分，是非常誇張的五十比四。

下半場開始，光北隊就不再採用全場壓迫性防守，儘管如此，雲陽高中的投籃命中率還是非常低，而光北隊則是不斷把球交給進攻能力不強的包大偉，就算包大偉投不進，麥克也能搶到進攻籃板，利用身高手長的優勢把球放進籃框裡。

幾場比賽下來，包大偉在進攻端逐漸培養出信心，投籃的手感越來越好，而麥克則慢慢克服過於緊張的情緒，成為籃板機器。

反觀雲陽高中，上半場一波五十比四的攻勢把他們打得信心全失，士氣重挫，下半場球員只在外線零星投籃，沒有決心逆轉比分，因此這場比賽，早已在上半場的時候就已經結束。

最後，比賽結束，終場比數為九十比十，是光北在丙級聯賽當中，到目前為止勝分最多的一場比賽。

比賽一結束，苦瓜與蕭崇瑜照例趕緊跑下樓，要採訪李明正與雲陽高中的總教練。

苦瓜找上雲陽高中的總教練，只見總教練帶著雲陽的球員快速離開球場，拒絕受訪。於是苦瓜轉而走向光北高中，用眼神向蕭崇瑜示意，這次他要自己來採訪李明正。

這是苦瓜第一次在比賽後採訪李明正，比起當初在光北練習時採訪李明正，多了一分新鮮感。

苦瓜開啟手機的錄音功能，開門見山地說：「李教練，恭喜你，又拿到一場勝利，離乙級聯賽又進了一步。」

李明正點點頭，「謝謝。」

苦瓜簡單恭賀完之後，直接切入正題，「李教練，我剛剛注意到光北的板凳區多出一個球員，而且還是之前新興高中的先發前鋒高偉柏。就我所知，新興高中解散後，高偉柏加入了啟南高中籃球隊，但現在卻出現在光北的板凳區裡，請問李教練是怎麼遊說高偉柏，讓他加入光北的？」

李明正毫不隱瞞地說：「我不做遊說這種事，沒意義。我要的是真心想要為光北打球的球員。高偉柏會加入光北隊，主要是因為他父親是我之前的隊友，加上『良禽擇木而棲』這個道理，所以他自然而然成了光北隊的球員。」

李明正眼神裡的自信，一如往常像火燄般熊熊燃燒著。

「四場比賽都以極大的分差獲得勝利，請問李教練是否已經迫不及待要站上乙級聯賽的舞台？」

李明正搖搖頭，「目前球隊還需要多一點比賽累積默契，也有很多地方需要加強，不過我可以保證，到了乙級聯賽的時候，你們會看到一支完全不同的光北隊。」

★

十月三十號，光北籃球隊第十二場丙級聯賽，冠亞軍戰。

即使是冠亞軍賽，在觀眾席上看球賽的人依然少得可憐，除了少部分的家長之外，就只有《籃球時刻》的兩個編輯，苦瓜與蕭崇瑜。

蕭崇瑜架好錄影器材，拿起單眼相機，拍攝正在熱身的光北隊與艋舺隊。苦瓜則完全不管蕭崇瑜，坐在椅子上，雙腿併攏，腿上放著十五吋的筆記型電腦，雙手在鍵盤上飛舞著。「光北高中以丙級聯賽十二戰全勝的戰績，取得前往乙級聯賽的門票，在這十二場比賽之中，光北隊平均勝分高達六十七點七分……」

原本在拍照的蕭崇瑜這時坐到苦瓜身旁，看著螢幕上的內容，笑著說：「苦瓜哥，比賽都還沒開始，你就把報導內容都好，如果這場比賽光北意外落馬怎麼辦？」

苦瓜回應：「你覺得你去做變性手術的機率有多少？」

「零。」蕭崇瑜不假思索地回答。

苦瓜頭也不抬地說：「那你放心好了，光北輸的機率比你去做變性手術還低。」

蕭崇瑜一聽，整張臉垮了下來。

苦瓜邊打字邊問：「拍照拍完了嗎？」

蕭崇瑜挺起胸膛，驕傲地說：「經過這一個月下來，我的拍照技術，苦瓜哥你儘管放心！」

苦瓜馬上潑冷水，「唉呀，就怕到時候沒一張能用。」

蕭崇瑜的表情再次垮下來，「苦瓜哥，你偶爾也要給人一點鼓勵吧！對了，苦瓜哥，你好像很喜歡在比賽結束前就把報導內容寫好，然後看球賽的流向有沒有跟你寫的內容一致。」

「我有這樣嗎？」苦瓜揚起眉頭。

「有啊，上次甲級聯賽的總冠軍賽，啟南對東屏，你也早在比賽結束前就把企劃書都寫好，甚至印出來放在桌上！」

苦瓜隨意應了一聲：「嗯。」精神全部集中在這篇即將放在下個月高中專欄裡的內容。

雖然這個內容不會占據太大篇幅，不過這是個開始，只要光北隊繼續贏球，那關於他們的篇幅就會越來越多，擁有最齊全也是第一手資料的他們，只要等到時機成熟，推出光北籃球隊的獨家報導，那麼雜誌的銷量絕對可以擊敗其他雜誌社，而他自己也將獲得更多的權限繼續報導光北高中。

「苦瓜哥，我覺得你是受了當年光北的影響，才會有這個……與眾不同的嗜好。」蕭崇瑜認真地說。

苦瓜愣了一下，然後又繼續埋頭在工作裡，「怎麼說？」

「我覺得你在等待一個可以像當年的光北高中一樣，顛覆你想像的球隊，先把所有的內容寫好，就像是你當年坐在觀眾席，看著默默無名的光北對上戰無不勝的啟南，心裡覺得啟南一定會贏，然後把寫好的東西放到一旁，觀看球賽，期待劣勢的球隊能夠像當年的光北一樣，完成被大家認為不可能的事。」

苦瓜沒有說話。

蕭崇瑜又說：「不過，我想再怎麼樣，沒有任何一支球隊能夠帶給你當初光北擊敗啟南的感動。」

出乎蕭崇瑜預料之外，苦瓜搖搖頭，「有。」

「有？」蕭崇瑜很驚訝。

苦瓜篤定地點頭，看著下方的光北隊，「能夠帶給我當年的感動的，就是現在的光北隊。」

這時，場上裁判的哨音響起，比賽正式開始。蕭崇瑜連忙跑到前頭，整個人趴在欄杆上，他提前把照片拍完，就是為了親眼見證光北拿到丙級聯賽冠軍的過程。

光北在籃球場上為了冠軍與乙級聯賽門票奮戰的同時，光北高中的操場上，也有人為了他心中的夢想努力著。

此時光北的操場上僅有兩個人，一個站著，另一個人在四百公尺的跑道上跑著。站著的是楊信哲，跑步的是王忠軍。

楊信哲手裡拿著手機的碼表，計算王忠軍跑步的速度。王忠軍奮力往前跑，這一個月以來，他每天都跑步上下學，每天除了三分球，就是鍛鍊自己的體能。

王忠軍從未跑過學校的操場，只知道跑一圈四百公尺，卻不懂該如何配速。他只是一直使勁全力地跑。

「加油，最後兩百公尺！」楊信哲看著螢幕上顯示的時間，對王忠軍大喊。

王忠軍聽到楊信哲的聲音，更是擠出體內最後一絲力氣，卯起來狂奔。

他想要打籃球！

他想要成為籃球隊的一份子！

他想要在更大的舞台投三分球！

「好！」王忠軍跑過身前的剎那，楊信哲按下停止鍵。

王忠軍放慢速度往前跑了一小段之後才停下來，喘了幾口大氣，穩定呼吸之後，邁開腳步往回走。

三千公尺，說起來不算是太長的距離，但是王忠軍每一公尺都是盡全力去奔跑，讓他現在大腿痠痛不已，臉色微微發白。

楊信哲看著王忠軍朝自己走來，緊繃著臉，對他搖搖頭。

在這個瞬間，王忠軍以為世界崩塌了。

夢想，碎了。

這一整個月來的努力，沒了。

看到王忠軍的表情，楊信哲哈哈大笑，「開玩笑的啦！」然後伸出手，將手機螢幕對著王忠軍，「你跑了十一分四十五秒，這可是非常驚人的成績！」

王忠軍瞪大雙眼，看著螢幕上的數字，頓時間，破碎的夢想，又拼湊起來了。

楊信哲拿起腳邊的袋子，遞給王忠軍。

王忠軍用懷疑的眼神看著楊信哲。楊信哲搖頭苦笑，「不要因為我剛剛對你開個玩笑就這麼不信任我好不好，這是李教練要給你的東西。」

王忠軍這才伸出手接過袋子，從裡面拿出兩套光北隊的球衣，球衣的背號是二十號。

「李教練一開始就相信你一定會通過這個簡單的測驗，所以早就叫我準備好球衣了。裡面還有別的東西，都是李教練要給你的。」楊信哲看王忠軍雙手捧著球衣，低著頭，正想對王忠軍多說點什麼時，卻看到兩滴晶瑩的淚水滴落在裝球衣的塑膠袋上，楊信哲默默轉過身，故意走遠。

王忠軍用手背抹去臉上的淚水，但眼淚卻不聽話地不停流下來，自尊心很高的他，不喜歡把自己脆弱的一面暴露在別人面前，不過當手裡捧著兩套球衣時，心裡的感動，輕易地將他築起的高牆給摧毀。

在王忠軍手上的球衣，並不單單只是球衣而已，更多的是「夢想」。

過了一會，王忠軍情緒稍稍穩定之後，他將球衣小心翼翼地放在地上，拿出袋子裡的其他東西，一共三雙鞋子，分別是訓練鞋、慢跑鞋和籃球鞋。

楊信哲轉頭看到王忠軍已經拿出鞋子，便走了回來，「李教練說，『工欲善其事，必先利其器』，這三雙鞋子都是給你的，收下吧。他還說了，如果想要謝謝他，場上的表現是最好的感謝方式。」

其實最後兩句話，是楊信哲自己加的。

王忠軍默默地點點頭。楊信哲又說：「現在你的隊友們應該已經拿下冠軍了，準備好，乙級聯賽下個星期就要開始了！」

王忠軍看著楊信哲，用眼神表達，我早就準備好了。

楊信哲感受到王忠軍炙熱的目光，拍拍王忠軍的肩膀，「很好，光北高中二十號，我送你回家。」

比賽結束的哨音響起，丙級聯賽的冠亞軍戰在此刻劃下句點，比數九十比三十五。光北隊大獲全勝。

光北全隊上下都知道這場比賽的重要性，所以開賽就用全場壓迫防守，造成艋舺隊失誤不斷，接著再快攻取分。

詹傑成的助攻，包大偉的上籃，魏逸凡的抄截，楊真毅的包夾，麥克的禁區嚇阻力，讓艋舺隊在上半場打完就喪失任何企圖心，不管教練團如何努力地鼓勵，感受到光北隊的強大，球員們完全提振不起任何信心。

光北高中，在這十二場比賽之中，沒有遇到太多抵抗，順利晉級乙級聯賽。

這天晚上，李明正、吳定華、葉育誠與楊翔鷹四個人請所有球員吃一頓烤肉大餐，犒勞這十二場球賽的辛苦。當然，也告訴球員不能得意忘形，接下來還有更高級別的乙級聯賽要挑戰。

「不過今晚大家就好好放鬆一下吧！」葉育誠舉起手中的飲料，吆喝一聲，每個人開始往鮮嫩可口的肉片進攻。比賽結束，早已飢腸轆轆的球員們，差點就把盤子一起吞下肚。

接著李明正宣布明天不用練習，讓球員可以好好休息，而且星期六不用上課，在身體安全的最大原則下，盡情讓自己放鬆一下。

球員嘴巴嚼著肉片，含糊不清地歡呼，很快又埋頭繼續吃著熱騰騰香噴噴的烤肉，一群人吃肉的速度，快到讓服務生根本來不及收拾碗盤。

球員平常練習的運動量極大，加上正處於青春期，需要補充更多的營養，更別提才剛結束一場比賽，球員們的肚子正像黑洞一樣，不斷對他們的主人呼喚著食物。

同時，李明正也收到來自楊信哲的訊息，乙級聯賽的各項登錄資料都準備好了，賽程表明天就會出來了。

隔天早上，李光耀睡到五點才醒，睡醒後沒有像平常一樣到庭院練球，而是在簡單的梳洗後，跑到住家附近的早餐店，買了兩人份的早餐，回到家後看到李明正已經醒了，坐在客廳觀看預錄好的 NBA 球賽。

「爸，我七點要去公園。」李光耀在沙發坐下，開始享用早餐，跟著李明正一起看球賽。

「嗯，好。」李明正知道李光耀去公園只會做一件事，那就是練球，所以放心地點頭。

雖然庭院就有籃球場，但李光耀還是覺得場地不夠大，所以週末時常跑去公園練球。而且也是因為這樣，他們才會認識社區籃球隊的那些大叔。

「老爸，乙級聯賽，可以讓我上場了吧？」李光耀大大咬了一口漢堡，喝了一大口奶茶，含糊不清地說。

「可以。」李明正知道李光耀早就已經等不及想上場，整整十二場丙級聯賽都坐在板凳上看隊友在場上飛奔，如果是自己也會受不了。

李光耀大呼一聲：「Yes！」

李明正卻馬上澆了一桶冷水，「但是會限制你的出手次數。」意思就是，不會讓他主導球賽。在這個階段，李明正更重視球隊整體的默契跟配合。

李光耀依然興奮不已，「沒關係，就算只能得五分、十分，能上場就夠了！」

「你能這麼想就好。」李明正深深為兒子感到驕傲，這份驕傲不是出自於李光耀的實力，而是李光耀對籃球有著最純粹的喜歡，只要能夠站上球場，就算他給李光耀的制約是不能出手得分，只能搶籃板跟傳助攻，李光耀依然會露出滿足的笑容。

「老爸，賽程表什麼時候公布，第一場比賽讓我先發！」

李明正搖搖頭，「放心，我一定會讓你上場，畢竟有新的隊友，要讓你熟悉新隊友的打法，但是先發陣容會維持丙級聯賽的模式。別急，等到甲級聯賽的時候，一定會讓你先發上場。」

得到李明正的保證，李光耀點頭說：「好，不過說到那個高偉柏，如果他打球時肯多動一點腦袋，不要只靠身體素質打球，其實也滿強的。」

李明正臉上露出微笑，其實他指的新隊友並不只是高偉柏，不過關於王忠軍這個驚喜，就等到下星期晨練時，讓李光耀自己發現吧。

李光耀很快將早餐吃完，回房間換了一套運動服，把籃球和籃球鞋裝進後背包，穿上訓練鞋，跟李明正還有剛起床的林美玉揮揮手，「老爸老媽，我出門了。」

林美玉叮囑：「路上小心，中午回家吃飯！」

「哦！」李光耀回應的同時，將門關上，騎上腳踏車，前往公園。

李光耀騎得很快，十二場比賽他都坐在場下，簡直快要把他悶壞了，尤其是隊友的表現都非常亮眼，讓他其實有很多次差點就想要求李明正讓他上場，不過就跟李明正說的一樣，讓他在丙級聯賽上場實在沒什麼意義，因為他、實、在、太、強、了。

李光耀嘴裡哼著小調，整個人自信滿滿。得到李明正讓他在乙級聯賽上場的允諾，使他心情大好。

李光耀加快速度把原本需要十五分鐘的路程縮短到十分鐘，一抵達公園，看到籃球場打球的人並不多，還有空置的場地，小小歡呼一聲。他將腳踏車停放在籃球架後面，放好後背包，開始熱身。

李光耀花了五分鐘的時間熱身後，並沒有馬上將籃球拿出來，因為在他的自我訓練菜單之中，籃球是中後段才會使用到的工具。

李光耀在底線輕輕跳了跳，用腳尖感受地面的觸感，然後開始第一項自我訓練，折返跑。

每一趟折返跑，李光耀都拚盡全力跑，所以四趟折返跑下來，他已經開始喘氣，臉上出現汗珠，不過他只給自己三十秒的時間休息，馬上又開始另一次折返跑。

三分線、中線，前場三分線、前場底線，李光耀每一趟折返跑都要跑到這四個定點，而且一定要彎腰摸到線才能折返，就算沒有李明正或其他教練在旁邊看也一樣，這是一種自我要求，更是一種態度。

李光耀很喜歡偶像Kobe Bryant說過的話：我在練習時虐待自己，是不想在球場上被人虐待。

李光耀認為Kobe說得很對，所以球隊一起練習時，他一定是練習量最多的那一個人，如果是自我訓練，他也會以最高標準要求自己，因為想要在競爭激烈的籃球場上成為最強的人，最簡單的方法就是比任何人都要努力練習，而且練習得比任何人都還要多。

李光耀折返跑足足跑了五次，休息兩分鐘後，馬上進行防守腳步的練習。

「進攻贏得比賽，防守贏得總冠軍」，這是籃球場上的真理。李光耀喜歡在進攻時摧毀對手，但他也非常重視防守。

李光耀在場上做防守腳步練習，幻想面前站著一個對手，一個比自己強的對手，而自己不管怎麼防守都無法阻擋他，幻想對方快速切入、急停跳投、轉身、變向換手運球、後仰跳投、後撤步跳投、帶一步跳投、旱地拔蔥跳投、小人物上籃……

李光耀在腦海中把對手想成全能的得分王，籃球裡面所有的進攻方式都融會貫通，而且李光耀並不光只是幻想而已，他在球場上奮力防守的模樣，就像是真的有個人在他面前，試著突破他的防守一樣。

李光耀非常喜歡練習這個項目，雖然這種幻想式的練習方式感覺很不切實際，一開始李明正叫他這樣練習的時候，他甚至有點抗拒，因為他覺得會被別人當成白痴，不過當他在比賽時發現自己漸漸有了預判對方下一步動作的能力，防守因此大為增強的時候，他不再抗拒這種練習方式，甚至愛上它。

而且這種方式練習得越久，李光耀發現它帶來的不只防守，甚至連進攻端都有幫助，因為腦海中想著怎麼防守想像中的對手時，也讓自己知道在各種防守下該用什麼方式進攻才最有效率。

這種腦海模擬式的練習做得越多，得到的越多，因此只要有機會，李光耀一定會做這種練習。雖然李明正曾說過這種練習方式的正式名稱，但李光耀自己給它一個名字——意識模擬練習。

一個小時後，李光耀喝了點水，換上籃球鞋，拿著球走上球場，開始練習基本動作。

李明正曾經用很簡單的方式比喻基本動作的重要：建造房子最重要的事情，就是打地基，地基打得夠深，房子才會穩。

那時候李光耀聽不太懂李明正的意思，於是李明正用更簡單的方式說明：世界上最強的球員，他們的基本動作也一定是最紮實的。

李光耀聽懂了，所以每一天都會練習基本動作，就算只是下課十分鐘這種瑣碎的時間，一樣利用教室的角落練習運球。

要在球場上打球，第一件事不是要學怎麼投籃，而是怎麼運球，不過大多數的人學會運球後，就不會思考該怎麼把球運「好」，一心只想著怎麼把球投進籃框，完全忽略運球的重要性。而一支球隊的強弱，往往從運球就可以看出來，所以光北隊在丙級聯賽中，才可以利用壓迫性防守橫行無阻，因為丙級聯賽的球隊，球運得都不怎麼樣。

李光耀膝蓋彎曲，重心壓低，右手運球，左手護球，很單調的運球方式，但是李光耀加了一些變化，把球越運越低，到最後利用指尖運球。

右手運完換左手，接著開始各種花式運球，不斷搭配基本的交叉、跨下、背後三種運球，從一種到兩種，接著到結合三種運球，每一種運球方式都練了十分鐘以上。運球練完，李光耀喝了幾口水，沒有休息，直接開始練習跳投。

李光耀最喜歡的訓練項目之一，跳投，因為他最喜歡聽到球投進籃框後，空心入網那清脆的唰聲。打籃球的人，誰不愛這個聲音呢？

首先是籃框左右兩邊的跳投，左邊投進五十顆之後換到右邊，一樣投進五十顆之後換到四十五度角的位置，接著利用擦板的方式投進五十顆，再走到另一邊，一樣擦板投進五十顆……

李光耀以投進五十顆球為基準，變換投籃的位置。而在他努力練習跳投，心思完全放在手中的籃球上的時候，有一個人遠遠地看著他投籃。

「小姐，妳認識他嗎？要不要過去打個招呼？」大太陽底下，謝娜站在離籃球場約五十公尺的地方，身旁有個年紀約五十多歲的中年男子為她撐著傘，而在這半個小時的時間，謝娜的目光一直注視著李光耀。

謝娜搖搖頭，「不認識。」

男子站在謝娜旁邊，手中的洋傘為謝娜遮蔽了毒辣的紫外線。男子看了左手的錶一眼，「小姐今天不到別的地方散散步嗎，午餐時間快到了呢。」

謝娜還是搖搖頭，「福伯，再看一下。」

被稱作福伯的男子微微一笑，「是，小姐。那個男生很厲害呢，球一直進。」

「福伯，我想曬點太陽，你別撐了。」謝娜故意忽略福伯說的話。

「是，小姐。」福伯馬上放下手中的洋傘。

謝娜就這麼一直看著李光耀在籃球場上專注地練習投籃，眼神卻流露出一抹哀傷，但是在哀傷之中，卻有一絲難以察覺的緬懷。

早上十一點，接近中午時分，太陽非常毒辣，在沒有任何遮蔽物的籃球場上，李光耀汗如雨下，衣服吸飽汗水黏在身體上，李光耀後來索性脫掉上衣，露出近乎完美，充滿野性爆炸力的體魄。

謝娜在場外瞪大雙眼，她沒想過隱藏在李光耀衣服底下的，竟是如此飽滿的肌肉線條，儘管她是運動的門外漢，但也看得出來李光耀絕對是經過辛苦的鍛鍊，才會擁有如此驚人的體格。

「小姐，午餐時間快到了，今天夫人會一起用餐。」福伯用委婉的方式，提醒謝娜該離開了。

謝娜微微點頭，「好。」

★

楊信哲手裡拿著賽程表，坐在被他稱為吸血惡魔的校長葉育誠家裡，而除了他之外，吳定華坐在他身邊，正在研究他剛剛拿過來的賽程表，開口說：「運氣還不錯，第一場比賽遇到這幾年戰績很差的球隊，而且順利的話，冠亞軍賽才會碰到稱霸乙級聯賽的向陽高中。」

楊信哲馬上補充：「向陽高中被喻為乙級聯賽的啟南，已經連續兩年拿下乙級聯賽的冠軍，之前的戰績也非常可怕，勝率非常高，被外界看好是這次可以搶進甲級聯賽的大熱門。」

葉育誠問：「嗯，明正有賽程表了嗎？」

楊信哲聳聳肩，「我寄一份給他了，但是不確定他看了沒有。」

吳定華看向葉育誠，皺起眉頭，「你怎麼沒找明正一起過來？」

葉育誠雙手一攤，「他說他正在吃心愛老婆做的愛心午餐，沒空過來。」

吳定華點頭，把賽程表放到桌上，「那我們就不用太擔心了。」

楊信哲放下賽程表，看著葉育誠，用表情告訴他：你特地把我叫來你家，絕對不只是為了比賽而已吧，你這老狐狸！

葉育誠看著楊信哲，露出了一個讓楊信哲頭皮發麻的陰險笑容。

「信哲，你不覺得光北的球員在球場上努力奔跑的時候，周圍好像少了些什麼嗎？」

楊信哲搖搖頭，毫不猶豫地說：「不覺得。」又加重語氣強調一次，「完全不覺得。」

葉育誠把楊信哲的否定當空氣，自顧自地繼續說：「你不覺得場上的球員這麼賣力地為了勝利奔跑，旁邊卻沒有人幫他們加油，是一件很可惜的事嗎？」

楊信哲心裡已經知道葉育誠打的是什麼算盤，不過他卻想不到任何理由否定葉育誠的話。

葉育誠見楊信哲沒反駁，眼神閃過得意的光芒，繼續說：「不管是以校長，或者是長輩的身分，看到球場上奮力打球的孩子們，在他們表現好的時候，場邊竟然沒有任何掌聲或鼓勵，真的讓我覺得很痛心。」

楊信哲重重嘆了一口氣，「好了好了，別再演戲了，現在不是在角逐金鐘獎最佳男主角，要說什麼趕快說吧。」

葉育誠臉上出現無比得意的表情，對身邊的吳定華使了個眼色，像是在說，對付這個小毛頭，還不容易。

「信哲，你做事效率快，態度認真負責，這件事除了你之外，交給其他人我都沒辦法放心……」

楊信哲直接打斷葉育誠，「直接講重點，你我都知道前面這些話都是可以省略的。」

葉育誠啊哈一聲，「跟聰明人講話就是輕鬆，簡單說，我想要為籃球隊成立一支啦啦隊，而招集啦啦隊成員這個重責大任，我想來想去也只有你能夠擔得起了！」

楊信哲咬牙，果然沒什麼好事，可惡的老狐狸！

★

光北的球員在奪冠後隔天，除了李光耀之外，都讓自己好好放鬆，不去碰籃球，暫時將籃球拋出腦外。

星期六，中午。

魏逸凡與楊真毅相約在電影院碰面，兩人在昨天已經想好要看什麼電影，因此很快排隊買了電影票、飲料跟爆米花，看了一場爆笑喜劇，在電影院裡跟著所有的觀眾哈哈大笑，笑到眼淚都噴出來。

看完電影之後，兩人一邊討論劇情一邊走出電影院，雖然一人各吃完一包爆米花，但走出電影院的當下，肚子卻傳來咕嚕咕嚕的聲音，兩人討論著晚餐要吃些什麼，卻一直無法達成共識。這時一個人邊走邊發傳單，硬是將傳單塞進楊真毅手裡。

楊真毅低頭一看，傳單上寫著「**壽喜燒剛開幕，特價優惠中**」，抬起頭與魏逸凡對看一眼，馬上跑到這家新開幕的壽喜燒，大快朵頤一番。

兩個人一共吃了三十盤肉，把桌上弄得杯盤狼藉，食量也把坐在鄰桌的客人嚇傻了。

吃飽後，兩人撐著肚子，散散步消化。

魏逸凡跟楊真毅身高都超過一百八十五公分，並肩走在路上非常引人注目。兩人走著走著，看到一間運動用品店，很有默契地一起走了進去。

踏進運動用品店後，楊真逸跟魏逸凡不約而同地拿起架上的球，摸了摸，感受籃球的重量，看著牆上貼著遠在地球另一端的 NBA 球星的海報，魏逸凡與楊真毅對看一眼。

魏逸凡說：「我覺得今天好像少做了什麼一樣。」

楊真毅點頭，「我也有這種感覺。」

兩人相視而笑。

楊真毅說：「明天早上十點，河堤。」

魏逸凡點頭，「好。」

★

麥克一整天都待在家，平常練球占據他太多時間，所以麥克趁週末空閒的時間，好好溫習功課。

麥克雖然長得高又壯，現在又加入籃球隊，整個人散發出運動員的氣息，但其實麥克的成績很好，尤其是讓李光耀完全沒輒的化學。

有趣的是，因為麥克有黑人血統的關係，在路上常常會有人對他說英文，偶爾遇到迷路的外國旅客，也會馬上向他求救，但其實各科目之中，他最弱的就是英文。

麥克坐在書桌前，今天他一起床吃完早餐後就開始讀書，午餐後休息一會又馬上回房間，翻開數學課本。麥克剛拿出紙筆，準備練習課本上的習題時，院長宏亮的聲音從樓下傳來：「麥克，衣服洗好了，你去收一下！」

麥克應了一聲，「好。」

麥克放下手中的筆，很快地下樓走到廚房旁邊的洗衣機，打開洗衣機的蓋子，一把就將衣服全拖出來，只剩最後一件白色的球衣留在洗衣槽裡，光北高中，九十一號。

麥克把手上的衣服放進洗衣籃，雙手拿起球衣，手指感受到球衣微濕的冰涼，聞著來自洗衣精的清香，看著這件屬於自己的球衣，心裡一動。

「爸爸，明天可不可以載我到李光耀家。」

★

包大偉揹著後背包，正在爬山，右手提著木箱，木箱裡裝著水彩、畫筆與紙卷等畫圖的工具。除了籃球，他最喜歡的就是畫畫，而且偏愛風景畫，他畫風景畫時最能感受到內心的平靜。

包大偉氣喘吁吁地走到半山腰的涼亭。擺好畫具，他坐在板凳上，手上拿著畫筆和水彩，然後看著眼前的景物，動也不動。

微風徐徐吹來，包大偉享受著寧靜的氛圍，雖然每次選的主題和地點都一樣，但因為心境不同，畫出來的成果也都不盡相同。

對包大偉來說，藝術是一種「心」的表現。

包大偉深吸一口氣，正打算畫下第一筆時，兩個小孩笑容洋溢，從他面前走過，讓他視線停留在小孩身上的原因無他，因為小孩衣服上的圖案，是一顆籃球。

包大偉的心思在那麼一瞬間，從畫畫抽離。

「明天，找詹傑成一起練個體能吧。」

★

位於百貨公司頂樓的電動遊樂區裡，詹傑成和朋友正在享受射擊遊戲帶來的視覺衝擊。

詹傑成拿著槍，對著不斷出現在螢幕上的殭屍射擊，身邊的朋友則是扮演輔助的角色，解決殭屍不斷丟過來的汽油罐、樹幹、石頭與汽車。

詹傑成努力射擊，但準度不佳，幾次都讓殭屍利爪給抓到，血量只剩一半，而身後的朋友看著他的表現，不斷傳來嘲笑聲。

「阿成，是怎樣，怎麼槍法變得這麼不準！」、「跑去打籃球，結果忘了怎麼打槍是吧！」、「天啊，我們的槍神跑到哪裡去了？」

詹傑成完全沒理會身後朋友的哄笑，專心在遊戲上，不過因為太久沒玩，技巧生疏，還沒破到第二關就被殭屍一爪結束遊戲。

「Game Over！」

詹傑成頹然放下槍，身後的朋友再次大笑，然後往電梯走去，「走走走，到樓下抽菸！」

詹傑成腳步定住，說：「戒了。」

幾個朋友愣了一下，「什麼，你連菸都戒了？」、「開玩笑吧？」、「不抽菸，那多無聊啊？」、「好吧，那我們去兜風，我最近改的那支管子，聲音超讚的！」

詹傑成沒有動，他突然覺得跟這群朋友混在一起是一件很無聊的事。在兩個月前明明還覺得這些都很有趣，騎著改裝的機車，對著路上穿著熱褲有著修長美腿的女生吹口哨，嘴裡無時無刻叼根菸，開一些無聊當有趣的黃色笑話，然後就這麼過一天。

「你們去吧，我晚點還有事。」詹傑成還是沒動。

「是有什麼事，走啦，兜風！」

「阿成你以前最愛兜風的啊！」

「我知道有一個地方不錯，妹子很多，而且奶都很大，走了啦，阿成你不是最愛虧妹子嗎？」

詹傑成皺起眉頭，搖搖頭，「你們去吧，我真的有事。」

幾個朋友看詹傑成的表情，聳聳肩，「好吧好吧，那我們走了。」

「嘖，怎麼打了籃球整個人都變了。」

「下次想虧妹子，記得打電話跟我們講一聲。」

詹傑成看著這群從國中就混在一起的朋友坐進電梯裡，為了避免在樓下又碰到，他打算搭手扶梯一層一層慢慢下樓，而在往與電梯完全反方向的手扶梯走去時，詹傑成聽到了匡啷匡啷，籃球撞擊籃框的聲音。

他轉頭一看，發現聲音來自投籃機，於是停下腳步，看著一名國中生玩著投籃機，因為投籃機所使用的籃球比較小，國中生可以一隻手各拿一顆球，左右手輪流投籃，不過投籃機裡的籃球經過長年累月的使用，表皮的顆粒已經被磨平，籃球因而變得滑溜，國中生的手還不夠大，當他力氣比較小的左手拿起球時，球從手中落下，滾到詹傑成身邊。

詹傑成彎下腰撿起籃球，右手輕輕一拋，空心入網。

國中生睜大雙眼，露出佩服的表情，「好厲害。」

詹傑成給了國中生一個笑容，轉身就走，心想，明天，找包大偉一起練體能吧。

★

謝雅淑坐在電腦桌前，手裡拿著一包洋芋片，雙眼緊盯著電腦螢幕。

謝雅淑從早上醒來開始就一直看韓劇，連午餐都以手上的一包洋芋片草草打發。

因為平常被學校與練球占據了大部分的時間，所以在這難得的休假日，謝雅淑昨晚就發誓要在今天一口氣把韓劇全部看完！

謝雅叔看到動人深情處，連洋芋片都忘了吃，哭了起來對著螢幕大罵男主角，「你怎麼這麼白痴，為什麼不肯告訴她真相。」男主角罵完，換罵女主角，「妳怎麼這麼笨啊，他隨便說不愛妳，妳就相信了？」

接著看到男女主角誤會解開，兩人紅著眼眶，深情看著彼此，男主角低下頭，女主角閉上雙眼，即將親吻的瞬間，畫面卻暫停。

「啊啊啊，太害羞了，人家不敢看！」謝雅淑跳到床上，抓著棉被在床上翻滾，滾了幾圈之後才害羞又期待地按下播放鍵。

浪漫悅耳的插曲響起，男主角小心翼翼地親吻女主角的唇瓣，用力抱著女主角，似乎這麼做就能把女主角融入身體一樣。女主角感受著男主角親吻時的溫柔，還有蘊含在擁抱裡的情意，抱緊了男主角，回應男主角溫柔的親吻。

謝雅淑咬著大姆指，聚精會神地看著螢幕，臉頰羞紅。

「怎麼這麼快就結束了……」男女主角接吻的畫面漸漸淡去，片尾曲響起，謝雅淑臉上寫滿了失望，但是想了想，這確實是最適合的結局，雖然意猶未盡，卻也只能認命地將電腦關機。

謝雅淑站起身，伸展一下四肢，看完韓劇，肚子突然餓了。因此決定煮碗泡麵，但實在太餓，一口氣拆了兩包泡麵後，又丟了一塊科學麵，還加了兩顆蛋，拿來煮泡麵的小鍋子差點裝不下。煮好後，謝雅淑在十五分鐘之內就把泡麵吃得一乾二淨。

謝雅淑拍拍平坦的肚子：「今天太頹廢了，明天的練習量要加倍才行。」

第六章

星期日，所有光北球員，包含還未正式加入光北的王忠軍與高偉柏，全都在籃球場上努力練習中度過。

隔天，李光耀在凌晨三點五十起床，拿著籃球，穿上球鞋，走到庭院的籃球場。

天氣微涼，雖然精神已經來了，但身體還是處於睡眠狀態。李光耀很快地進行暖身，將身體喚醒。

暖身結束，李光耀開始折返跑，跑到全身出汗後，拿出椅子擺在場上各處，接著從中場開始，利用各種運球方式繞過這些椅子，以抛投、擦板與小人物上籃等方式將球投進，且左右手輪流投球，並沒有偏廢。

李光耀沒有計算投球的次數，只是不斷用精湛的運球繞過一張張椅子，直到太陽漸升才停下動作，把椅子收起來，站到罰球線，練習罰球。

李光耀喘著氣，調節呼吸，看著籃框，運了三次球，深呼吸一次，眼睛始終緊盯著籃框，膝蓋微微一沉，雙手拿起球，右手放在球的底部，左手只是輔助，穩穩地將球投出。

球脫手而出的瞬間，李光耀就知道球一定會進。

唰！

就算只是練習，李光耀依然認真對待每一次的投籃，認真感受籃球離開指尖的觸感，然後以九成的命中率，完成一百顆罰球的練習。

李光耀結束罰球練習後，結束早上的自我訓練，回到家中簡單梳洗後，便跑步出門上課。

李光耀抵達學校後，邊喝水邊往操場的方向走去，還沒走到操場，李光耀就聽到籃球彈跳的聲音。他加快腳步往操場走去，然後讓他驚訝的是，站在球場上投球的，竟然是王忠軍。

李光耀興奮地跑向籃球場，揮手大叫：「王忠軍！」

王忠軍看了李光耀一眼，很快又將注意力放回三分球上，右手拿起球，膝蓋一彎，輕輕跳起球，投球。

唰！

李光耀放一後背包，換上籃球鞋，興致勃勃地問：「王忠軍，等一下我們就要開始晨練，你今天這麼早來投球，要不要乾脆跟我們一起練球，我們練球很好玩的，你練過一次後一定會愛上的！」

王忠軍瞄了李光耀一眼，沒有說話，繼續練投。

李光耀也不洩氣，拿出球，站到王忠軍身邊，一樣練習三分球，然後不斷遊說王忠軍一起練球，王忠軍則是從頭到尾都沒理他。

在李光耀與王忠軍在場上練習三分球的同時，其他光北隊員也紛紛來到球場，最後，在晨練開始前的五分鐘，李明正、吳定華與楊信哲同時出現。

李明正看到李光耀露出興奮的表情，站在王忠軍身旁，一直大聲說著要把王忠軍介紹給教練組認識，李明正臉上不禁露出微笑。「王忠軍真是夠悶騷，練習都快開始了，還沒跟光耀說他已經是籃球隊的事。」李明正看向一旁的楊信哲，「信哲，今天晨練會有七個人，你可以嗎？」

楊信哲點頭，臉上顯露自信，「別說七個人，就算七十個人，我都會把訓練成績寫得一清二楚。」

「那就好，今天光耀的鬥志會比平常高昂許多，我想其他人也會被他影響，到時候就辛苦你了。」

楊信哲點頭，「沒問題！」

李明正站在跑道上，大喊：「集合！」

在王忠軍始終沉默不已，李明正又大喊集合的情況下，李光耀只能放棄讓王忠軍一起加入練習的念頭，很快地跟其他隊員一起跑到李明正面前集合。

李明正看了球員一眼，大聲宣布，「乙級聯賽的賽程表已經出來了，我們星期三就有比賽，所以這兩天的練習量會加重。練習的重點一樣是防守跟體能，乙級聯賽跟丙級聯賽是不同層次的比賽，自己要調整好心態，絕不能因為在丙級聯賽贏了就驕傲自滿！」

全體隊員大聲回應：「是，教練！」

李明正滿意地點點頭，「很好。在今天練習開始之前，我要向你們正式介紹你們的新隊友。」

高偉柏站到李明正身邊，李明正說：「高偉柏，未來將穿上二十一號的球衣，成為光北的強力前鋒，鞏固禁區的防守，強化禁區的牽制力！」

接著李明正用眼神向王忠軍示意，王忠軍點點頭，走上前來到李明正身旁，李明正手放在王忠軍的肩上，說：「王忠軍，未來將穿上光北二十號的球衣，成為光北最可靠的射手！」

李光耀看著王忠軍，雙眼不敢置信地瞪大，渾身因興奮而顫抖。王忠軍的加入就像聖誕老人的禮物一樣，讓他無比驚喜又興奮。

李明正拍拍王忠軍的背，「入列。現在開始練習，光耀，出來帶操。」

李光耀壓下心中的興奮，走到隊友面前，並沒有像往常一樣直接開始帶隊暖身，而是說：「從乙級聯賽開始我就會上場，雖然教練說過不會把我排進先發陣容當中，但是只要我上場，不管是十分鐘，或者是一分鐘也好，我都會全力以赴！你們要跟上我，我不會等你們！」

李光耀停頓一下，眼睛緩慢看了隊友們一眼，「等一下的練習，我會拚盡全力，如果連練習時都跟不上我，就更別說比賽了。」

李光耀說完之後，馬上開始帶隊暖身。此時球隊的氣氛已經變得完全不一樣，除了麥克之外，每個人的雙眼都燃燒著一團火燄，鬥志高昂得好像下一秒比賽就要開始。

李光耀紮實地帶操，五分鐘後，在楊信哲的呼喝聲之下，大夥開始跑步。

李光耀向前飛奔，一開始就卯足全力，而魏逸凡、楊真毅、高偉柏、謝雅淑、詹傑成、包大偉也不遑多讓，緊緊跑在李光耀後面。麥克同樣努力地跟在李光耀身後，但是他的努力並不是來自於鬥志，而是他就想要跟在李光耀後面，不管是跑步也好，練習也好，比賽也好，他想要跟在李光耀身後，看著李光耀的身影，讓他感到安心無比。

在李光耀的帶領之下，大家很快跑完第一圈。楊信哲看著手機螢幕，看著吳定華與李明正，說：「這是他們跑得最快的一次！」

李明正看著在跑道上奔跑的球員，臉上出現自信的笑容，「光北隊，真正地成、形、了！」

★

楊信哲緊皺著眉頭，食指不斷敲擊桌子，在早上籃球隊的晨練結束後，楊信哲就給人一種焦躁不安的感覺，跟平常幽默風趣，臉上總是帶著笑容，也總是把別人逗得哈哈大笑的他，判若兩人。

楊信哲不擅長隱藏自己的情緒，所以不管是學生或是其他老師，都清楚感覺到楊信哲今天的異樣，也因為楊信哲的好人緣，讓他一早就收到很多關心。

「老師，你怎麼了，是不是又要不到路邊大姐姐的電話了？」

「老師，你今天還沒講笑話！」

「老師，你今天怪怪的，是不是有人格分裂？」

「老師，你今天是楊信哲嗎？」

對於學生的關心，楊信哲只能搖頭苦笑，看來自己平常對這群兔崽子實在太好了。

相較於學生，同事間的關心就讓楊信哲倍感窩心。

「楊老師，你氣色不太好，我知道兼顧籃球教練跟導師是很辛苦的，記得多休息。」

「楊老師，我這裡有些養精補血的中藥，你要不要來一點？」

「楊老師，要不要來一杯咖啡，我親戚家裡手工烘培的，又香又好喝，可以幫你提振精神。」

感受到周遭的關心，楊信哲的臉上逐漸出現笑容，只不過造成他今天臉色不好的原因，其實不是身體健康的因素，也不是搭訕路邊漂亮的女生失敗，更不是他人格分裂，而是因為被一個可惡的吸血鬼剝削。

楊信哲感激地對所有關心他的人說自己沒事，然後在身邊的人都散去，趁著沒有人在一旁的空檔，低聲咒罵：「吸血鬼！惡魔！可惡的老狐狸！陰險的老傢伙！這根本是赤裸裸的剝削！」

儘管楊信哲故意放低音量，坐在他旁邊的沈佩宜依然將每一個字都聽進耳裡，而她記得在不久之前，楊信哲也有類似的抱怨。

沈佩宜沒有跟其他老師一樣對楊信哲表示關心，楊信哲吊兒郎當的態度一直以來都讓她很反感，尤其當初也是因為他，偷偷讓李光耀參加沒有意義的籃球隊測驗，沈佩宜對楊信哲只有一面倒的厭惡，她只希望楊信哲可以離她越遠越好。

沈佩宜心想，校長怎麼總是把事情交給楊信哲做，難道他不知道楊信哲根本是個不能依賴的人嗎？唉，爸一離開，就有這種莫名其妙又怪裡怪氣的老師入侵光北，光北的未來真是令人擔心！

楊信哲當然聽不到沈佩宜心裡的 OS，否則他一定會跳起來大喊：「是啊，我就是吊兒郎當啊！我做事情就是一副隨便的態度，拜託妳，趕快去跟校長說事情不能交給我做，我一定做不好，叫他把這件事丟給別人做！」

楊信哲打開筆記型電腦，開啟文書軟體，在標題打著「啦啦隊」三個大字，然後就停了下來。之前畫球衣的設計圖時，因為大學有上過類似課程，他還可以應付，但他人生這輩子勉強能跟啦啦隊扯上關聯的，大概只有高中時參加的熱舞社而已。

只不過熱舞社與啦啦隊根本是兩回事啊。

楊信哲非常苦惱，他早些時候已經請王伯幫他公告招募啦啦隊的消息，但其實他並不期望可以馬上獲得學生的回應，加上他現在對啦啦隊一點頭緒都沒有，所以就算有學生來報名參加啦啦隊，他能做的大概也就是留下學生的姓名資料，然後對學生說：「啦啦隊正式成立之後，我會通知你／妳。」

楊信哲嘆了一口氣，實在很想把啦啦隊的事丟在一旁不管，反正他給人的感覺就是做事不認真，所以就算搞砸了，相信校長也不會太意外。

不過想歸想，楊信哲就是沒辦法真的這麼做。

其實楊信哲是個只要把事情交付給他，你就絕對可以放心的人。只是他平常給人的感覺太過浮誇，讓人很難發現他值得信賴的一面。

楊信哲點開搜尋引擎，想透過網路搜尋跟啦啦隊有關的資料，這時候，一個漂亮的女生走到他身邊。

「請問你是負責啦啦隊的楊老師嗎？」

楊信哲抬頭訝異地看著眼前的女學生，他相信再給女學生幾年的時間，她絕對可以成為讓男人為之瘋狂的漂亮女人。

「我是。」楊信哲點頭。

「楊老師，我是二年三班的劉晏媜，我想要加入啦啦隊。」劉晏媜完全不拐彎抹角，直接表明來意。

「啊？」楊信哲完全沒想到這麼快就有學生想要加入啦啦隊，而且還是這麼漂亮的女學生。

「楊老師，公布欄上面說，啦啦隊是為了籃球隊創立的，是嗎？」

楊信哲點頭，「沒錯。」

「好，我要加入啦啦隊，而且我要當啦啦隊的隊長！」

楊信哲更驚訝了，「啊？」

「老師，啦啦隊有限定幾個人才可以成立嗎？」

這問題可把楊信哲給考倒了，因為當初葉育誠壓根沒說到這件事。楊信哲想了想，保守地說：「不能少於十個人。」

「那簡單，楊老師，你放心好了，我一定會讓啦啦隊成立的！」劉晏媜丟下這句話之後，就轉頭直接離開，讓楊信哲愣在當場，不知道劉晏媜到底是認真想要當上啦啦隊隊長，並且會找齊其他隊員；或者只是劉晏媜玩大冒險輸了，對他開了個玩笑。

離開導師辦公室的劉晏媜，臉上出現自信的笑容。

李光耀，我一定會讓你喜歡上我！

早自習之後的下課十分鐘，李光耀坐在王忠軍面前，眼神充滿期待地看著他。

王忠軍沒忘記自己的承諾，「謝娜的爺爺是大地主，曾經當過議員，人脈與資本都很雄厚。她媽媽聽說是一間科技公司的大老闆。謝娜家裡非常有錢，但是她沒有爸爸，所以……」

李光耀愣了一下，「沒有爸爸？」

王忠軍冷冷地說：「不要打斷我，不然我不說了。」

李光耀連忙點頭，他實在太想了解跟謝娜有關的事了。

王忠軍看著李光耀緊張的表情，有那麼一瞬間極度羨慕謝娜。

他、魏逸凡、高偉柏、楊真毅在籃球場上不管多麼努力，都不曾讓李光耀出現任何緊張的情緒，而謝娜什麼都沒做，就讓李光耀緊張得要命。

但王忠軍很快就換了個思考的角度，覺得這整件事非常有趣，李光耀這麼一個只要站上籃球場，就沒人可以抵擋的人，在陷入愛情的漩渦後，出現的反應卻跟其他男生沒兩樣。

王忠軍心想，原來李光耀不是外星人。

王忠軍突然沉默下來，讓李光耀嚇一跳，以為王忠軍真的不說了，他趕緊閉上嘴巴，右手在嘴上做出拉鍊的動作，表示自己絕對不會再插話。

王忠軍其實只是失神了一會，沒想到李光耀反應會這麼大，讓他不禁感歎謝娜的魅力之大，讓球場上唯我獨尊的李光耀都不得不俯首稱臣。

接下來的話，因為事關謝娜隱私，所以王忠軍聲音壓低，「聽說她媽媽以前在德國讀書，莫名其妙就有了謝娜，謝娜的爺爺氣瘋了，尤其謝娜的媽媽不肯說出謝娜的爸爸是誰，謝娜的爺爺一氣之下，就直接把母女兩人趕出家門。

「後來，過了一陣子，謝娜的爺爺氣消了，在謝娜奶奶的幫助下，才將謝娜母女兩個人接回家住。不過謝娜的爺爺很討厭謝娜，覺得謝娜是在外面生的雜種，所以就算回到家裡，謝娜也過得很痛苦，每天都很不快樂，一直到她遇到一個大哥哥之後，日子才有所改變。

「那個大哥哥每天都帶謝娜到公園玩，而且因為那個大哥哥很喜歡打籃球，所以總是帶謝娜到有籃球場的公園，陪謝娜玩遊樂器材，也教謝娜怎麼打籃球。因為那個大哥哥，謝娜整個人變的開朗很多，但是也讓謝娜爺爺更討厭她，認為謝娜早晚也會跟她媽媽一樣被男人拐走。不過謝娜有了大哥哥的陪伴之後，就不太在意討厭她的爺爺了。

「可是快樂的日子並沒有持續很久，那個大哥哥早就知道謝娜是大地主的孫女，所以故意接近謝娜。每天帶謝娜去公園玩，都是為了降低謝娜的防備，然後在某一天，綁架謝娜。」

李光耀雙眼瞪大，不敢置信謝娜竟然經歷過這種在電影或是小說裡才會出現的事。

「謝娜的爺爺又氣瘋了，雖然很討厭謝娜，但他很愛面子，他動用了人力、物力、財力，終於將謝娜平安地接回家裡。雖然不久後爺爺去世了，家裡的人心疼謝娜，把她當成小公主對待，但是綁架這種事，讓謝娜對男生，尤其是喜歡打籃球的男生有很大的防備心。」

王忠軍說完，深呼吸了幾次，他已經很久不曾一次說這麼多話。

「你怎麼會知道這麼多謝娜的事？」李光耀心裡湧出了很多情緒。

王忠軍發現李光耀眼眶紅了，沒想到平常自信到接近自大的李光耀，竟有如此感性的一面。

「我國小開始就跟她是同學，她曾經以為我是啞巴，所以放心地把事情都告訴我。」

李光耀不禁噗嗤一笑，想起入學時第一次遇到王忠軍，向王忠軍問路的時候，王忠軍一個字都沒說，而同班了一個多月以來，也很少聽到王忠軍說話，謝娜以前會有這種誤會，也不能怪她。

李光耀抹去眼角的淚水，突然站起身來，跨步向教室外走去。

因為李光耀說不能偷聽他跟王忠軍之間的對話，因此乖乖坐在自己位子上的麥克，一看李光耀往教室外面走，站起身，也跟上李光耀。

李光耀眼角餘光看到麥克跟了過來，轉身對麥克說：「麥克，這次我要自己去。」說完，李光耀頭也不回地走出教室。

李光耀走進一年七班，看到謝娜跟平常一樣被一大群人圍繞著，毫不猶豫地直接走到她面前。

謝娜原本跟同學有說有笑，一看到李光耀，臉色一沉，「你來幹嘛？」

李光耀看著謝娜，雙手抓著謝娜的肩膀，堅定又大聲地說：「我喜歡妳，真的、真的、真的很喜歡妳，相信我，我會一直陪著妳！」

謝娜呆了一下，被李光耀強烈的語氣與堅定的眼神深深震撼，然後直接將李光耀的手撥開，在所有人面前賞了李光耀一個響亮的巴掌，「變態！」

臉頰傳來一陣火辣的疼痛，但李光耀絲毫不在意，他對謝娜說：「我會保護妳，不讓任何人傷害妳。」

「噁心！下流！你快走開，我不想看到你！」謝娜激動地大喊，讓一年七班所有的人都嚇了一跳，他們從來沒見過謝娜激動到整個臉都漲紅起來的模樣。

李光耀點頭，離開前留下一句，「我會證明給妳看的。」

★

《籃球時刻》雜誌社辦公室裡，蕭崇瑜緊張地來到苦瓜身旁，苦瓜並沒有停下手邊的動作，「幹嘛？」

「苦瓜哥，總編輯找你。」

苦瓜點頭，「喔。」手邊的動作沒停，完全沒有站起身的意思。一直到蕭崇瑜連連看向總編輯的座位，替苦瓜感到擔心，額頭上冒出一滴冷汗，苦瓜才輕呼一聲，「總算好了。」

苦瓜站起身來，拍拍蕭崇瑜的肩膀，「幫我泡杯咖啡。」蕭崇瑜連忙點頭說好。

苦瓜大步走向總編輯，「總編，找我有事？」

總編輯看到苦瓜滿不在乎的臉，心裡的怒火就要爆發，「你說呢？你要不要看看你上個月的出勤紀錄？」

苦瓜挖挖耳朵，「我去出差採訪。」

總編輯大怒，「採訪？成果呢，拿來給我看看！」

苦瓜絲毫不為所動，雙手一攤，「還沒整理好。」

總編輯冷笑，「沒整理好？我看是根本沒有成果吧。光北高中，根本沒有任何價值！這個月的銷量又下滑了，苦瓜大主編，你說該怎麼辦？」

苦瓜明白總編輯是在找碴，也知道總編輯看他不順眼很久了，所以苦瓜只是聳聳肩，「我知道了，請問總編輯有何指示。」

總編輯氣得渾身發抖，對苦瓜表現出來的態度實在忍無可忍，他站起身，怒瞪著苦瓜。

苦瓜完全沒被總編輯的怒火嚇到，反而無所謂地看著他，「請問總編輯有何指示？」

總編輯壓低音量，「苦瓜，別以為總經理罩著你，我就拿你沒辦法。」

苦瓜眼中精光一閃，故意大聲說：「是，謝謝總編輯的指導，我知道該怎麼做了！」話一說完，也不管總編輯，直接回到自己的位子上坐下。

「哼，浪費我的時間。」苦瓜繼續埋首在工作上，而蕭崇瑜很快送上咖啡過來。

「苦瓜哥，總編輯剛剛找你，沒事吧？」蕭崇瑜小心翼翼地問。

苦瓜翻了白眼，「還能有什麼事，就沒事找事啊。賽程表怎麼樣了？」

蕭崇瑜從檔案夾裡抽出早就已經準備好的賽程表，遞給苦瓜，「在這。」

苦瓜接過賽程表，簡單地掃視一遍，「光北的運氣不錯，如果順利的話，冠亞軍賽才會遇到向陽高中。」

「苦瓜哥，你覺得光北真的有可能這麼順利嗎？」

苦瓜瞄了蕭崇瑜一眼，「球是圓的，球場上會發生什麼事誰也說不準。」

就在蕭崇瑜為苦瓜難得沒為光北講話感到驚訝時，苦瓜又說：「所以光北一路打進甲級聯賽，也是有可能發生的事。菜鳥，光北後天就有比賽，記得把東西都準備好。」

「是！」

苦瓜繼續埋首在工作中，但眼角餘光發現蕭崇瑜還站在一旁沒有離去，抬起頭問：「怎麼了嗎？」

「苦瓜哥，你還記得王思齊嗎？」

苦瓜點頭，「我知道，當年被李明正擊敗的啟南高中的王牌球員，怎麼了？」

蕭崇瑜又再次為苦瓜驚人的記憶力感到驚訝，不過也沒忘了正事，「啟南高中剛剛宣布，王思齊從這個賽季開始，將接任總教練的位置。苦瓜哥，你不覺得很酷嗎，李明正與王思齊，當年兩個王牌球員，現在各自當上了光北與啟南的教練！

「我剛剛看到這個消息的時候，刻意去查了一下王思齊這個球員，結果發現一件很有趣的事。當年，一年級的王思齊根本沒有在一軍的名單之內，只是個二軍的球員。沒想到短短一年內，他把自己提升到一軍的程度，而且還成為啟南高中的王牌。在人才濟濟的啟南高中要成為王牌，光想就是一件很困難的事，而王思齊還是從二軍出發，這麼勵志的故事，放到哪裡都足以讓人感到興奮，如果加上率領球隊拿到冠軍，這樣加乘起來更有說服力，不過只能算王思齊倒楣，在第一輪就遇到比他更天才的球員，李明正。」

蕭崇瑜說到這裡，故意停了一下，沒想到苦瓜還是沒有任何反應，蕭崇瑜灰心之餘，轉身就要回自己的座位去。

就在蕭崇瑜轉身的剎那，苦瓜說：「菜鳥，很好。」

蕭崇瑜大喜過望，馬上回過身，「真的嗎？」難得得到苦瓜的讚賞，蕭崇瑜高興得快飛起來了。

「把資料整理好，否則一樣不能用，知道嗎？」苦瓜依舊沒有抬頭。

「是，我知道，謝謝苦瓜哥！」

苦瓜看著蕭崇瑜離開的背影，雖然他沒有表示什麼，但其實心裡感到很欣慰，相信再過不久，蕭崇瑜就可以獨當一面了。

接著苦瓜站起身，離開辦公室，走到外頭點了一根菸，想起蕭崇瑜剛剛提的王思齊當上總教練的事。

王思齊在第一輪被李明正率領的光北擊敗後，隔年馬上雪恥，一路過關斬將，順利拿下甲級聯賽的冠軍，在甲級聯賽平均勝分創下史上新高的紀錄，每場比賽至少贏對手二十二點八分。

高中畢業後，王思齊順利進入台灣首屈一指的體育大學，並且馬上在大專籃球聯賽大放異彩，第一年就幫助球隊得到亞軍，隔年帶領球隊得到冠軍之餘，也與職業球隊簽下合約，成為職業籃球員，籃球生涯十分順遂。退休之後，現在也成為高中籃壇的王者啟南的總教練。

王思齊可說是台灣所有懷抱籃球夢的人的典範與目標，不管是高中、大學或是職業球員的時期，都留下非常輝煌的紀錄，退休後順利加入教練團，沒有退休即失業的情況發生。

相較如此輝煌的籃球生涯，當年輸給光北根本微不足道，不過苦瓜相信，最不這麼認為的人，一定是王思齊自己。

苦瓜臉上浮現一抹笑容，心想，事情越來越有趣了，光北，可別讓我失望啊，再讓我感受一次當年的感動吧。

第七章

蕭崇瑜原本以為，乙級聯賽既然比丙級聯賽高一等級，觀看比賽的人數一定會比較多，支持與加油聲肯定會充斥整個體育館，現場的硬體與軟體設備絕對會比丙級聯賽更加精良。

可是，當他踏入舉辦乙級聯賽的場館，他就知道自己錯了，而且錯得非常離譜。

現場的觀眾寥寥無幾，而且大部分還是球員的家長，沒有任何單純為了欣賞球賽而進場觀戰的人。場地跟丙級聯賽一樣，地上黏貼了不同顏色，用來區隔籃球與其他球類場地的線條，讓人看了眼花撩亂。除此之外，籃球架的保護裝置還是比賽前才匆匆裝上，籃網也是剛剛才換上新的。

「苦瓜哥，這就是乙級聯賽嗎？」蕭崇瑜聲音沙啞，無法相信眼前的一切。

苦瓜點頭，臉上看不到任何表情，指了指底下，「光北都已經到了，我們沒有走錯地方。」

「不是，苦瓜哥，我的意思是，乙級聯賽不是更高等級的比賽嗎，怎麼我一點都沒有這種感覺，不論是觀戰人數或是場地設施，跟丙級聯賽沒有任何差別啊？」

苦瓜看了蕭崇瑜一眼，深吸一口氣，「事實就是這樣，這種情況到了甲級聯賽才會出現變化。把東西準備好，比賽開始後，你就可以感受到何謂丙級與乙級之間的差別了。」

蕭崇瑜咬牙，「是，苦瓜哥。」看著底下已經開始熱身的球員們，蕭崇瑜替他們感到心酸與不甘心，台灣的籃球環境，真的還有很大的改善空間。

蕭崇瑜雖然感嘆又感慨，但沒忘記來到球館的目的，他從後背包裡拿出單眼相機，將鏡頭裝上，開始拍攝兩邊球員熱身的照片。

「嗯？」沒多久，蕭崇瑜就在光北那邊捕捉到一個陌生的面孔，「苦瓜哥。」

「怎樣？」苦瓜手裡拿著一杯熱騰騰的黑咖啡，正努力趕跑瞌睡蟲。

「除了高偉柏之外，光北還有一個新人。」蕭崇瑜把相機遞給苦瓜。

「新人？」苦瓜放下手中的咖啡，拿過蕭崇瑜的相機。

「除了二十一號高偉柏之外，還有一個又矮又瘦，不太突出的二十號王忠軍。」

「嗯。」苦瓜利用單眼相機上的觀景窗觀看王忠軍的動作，下了判斷，「身高絕對不超過一百八十公分，肌肉量也不多，感覺像是用速度在場上生存的球員，不過他的運球動作並不流暢……」王忠軍正好運球上籃，殊不知觀眾席上有人正注意他的一舉一動。

「結果在完全沒有人防守的情況下，上籃放槍……」苦瓜放下手中的單眼相機，看了站在場邊觀看球員熱身的李明正一眼：「李明正葫蘆裡到底賣的是什麼藥，竟然會選這種連上籃都不會的球員進來光北？」

蕭崇瑜猜測道：「會不會跟詹傑成一樣，是個控球後衛？」

苦瓜呿了一聲，不屑地說：「以他那種運球，如果真的交給他控球，過不了半場球就會被抄走了。」

蕭崇瑜又說：「說不定他的防守能力很好啊，苦瓜哥，人不可貌相。」

苦瓜又呿了一聲，更不屑地說：「憑他的身高跟身材，防守很好？等一下比賽開始之後，不要被撞飛就不錯了。」

苦瓜把相機還給蕭崇瑜，雖然對王忠軍的第一眼印象並沒有很好，還是說：「繼續拍，多拍點高偉柏跟那個又矮又瘦的新球員的照片。」

蕭崇瑜補充說：「苦瓜哥，他叫王忠軍。」

苦瓜哼了一聲，「如果他等一下有上場，表現又夠好的話，我會記住他名字的，否則我可不想浪費我的腦容量去記得一個不怎麼樣的球員。」

蕭崇瑜繼續拍照，「我倒是很相信李明正的眼光，王忠軍一定是有他的過人之處，否則李明正不會讓他穿上光北的球衣。」

苦瓜手撐著下巴，看著王忠軍上籃時試著打板把球投進，卻力道過大，球連籃框的邊都沒碰到。

「這個球員到底有什麼好？」苦瓜想起之前，光北的第四場丙級聯賽結束後，李明正接受他的採訪，還信誓旦旦地說：「我可以保證，到了乙級聯賽的時候，你們會看到一支完全不同的光北隊。」

苦瓜看著在場上極為不顯眼的王忠軍，心想，李明正，希望你能夠再次顛覆我的想像。

比賽開始前五分鐘，兩邊已經停止練習，到場邊聽取教練的指示。

吳定華對球員說：「德勤高中雖然這幾年戰績不好，但是在五六年前，他們還是一支能與向陽高中爭奪冠亞軍的球隊，等一下上場的時候，要全力以赴，不能大意。」

「是，教練！」球員齊聲回答。

李明正接著說：「等一下的先發球員，後衛，傑成與大偉，禁區，逸凡、真毅還有麥克，進攻就跟平常練習時一樣，以禁區的攻勢為主，如果有快攻機會也要好好把握。傑成，掌控好場上的節奏，逸凡與真毅，你們放手打沒關係，現在有偉柏可以輪替，不用擔心體力的問題。」

「是，教練！」

「防守方面，就跟剛剛總教練說的一樣，德勤在乙級聯賽畢竟是一支有歷史的球隊，不能因為他們這幾年戰績不好就小看他們。一開始就用全場壓迫性防守打亂他們的節奏，不過乙級聯賽強度不一樣，考慮到體力的問題，壓迫性防守只針對德勤前五波攻勢，之後就採用二三區域聯防。」

「是，教練！」

「大偉，德勤的控球後衛就交給你了，多製造他的麻煩，不用怕犯規。麥克，今天你的任務還是一樣，鞏固籃板球，如果有德勤的球員想要侵犯我們的禁區，用你的火鍋告訴他們，我們光北不是他們該來的地方。」

「是，教練！」

「好，上場去吧，用你們的實力告訴德勤，我們比他們強。」

「是！」

李明正說完話之後，李光耀立刻跳出來，「隊呼！」

李光耀、麥克、魏逸凡、楊真毅、詹傑成、包大偉首先圍成一個圓圈，雙手搭在彼此的肩膀上。

「你們在幹嘛，過來啊！」李光耀抬起頭，對著王忠軍與高偉柏大喊：「你們也是光北的一份子！」

王忠軍與高偉柏加入了圓圈之中，不用李光耀提醒，謝雅淑很快進入圓圈之間：「光北！」

「加油！」

「光北！！」

「加油、加油！」

「光北！」

「捨、我、其、誰！」

結束隊呼之後，先發球員脫掉身上的外套，走進場中，而這時代表比賽開始的哨音響起，站在場中的裁判示意雙方球員上場。

麥克走到球場中央的圓圈，與敵隊的中鋒跳球，爭奪這場比賽的第一個球權。

與丙級聯賽一樣，包大偉與詹傑成站在前場，深信麥克可以將球撥給他們，馬上進行快攻；魏逸凡與楊真毅站在後場，萬一德勤的中鋒跳到球，他們可以立刻退回去防守。

最資深的裁判站在球場中間，手拿著球，眼神看向場邊的兩位裁判，三個人眼神交會之後，資深裁判輕輕吹哨，把球高高拋起。

當球達到最高點，被地心引力往下吸的剎那，麥克與德勤的中鋒同時跳起。

在這個瞬間，德勤的中鋒瞳孔收縮，在他眼中，麥克成了一支黑色火箭，以令人不敢置信的速度升空。

麥克的手指撥到球時，德勤中鋒的手才伸到麥克手肘而已，兩人的彈跳速度差太多了。

麥克撥到球的瞬間，包大偉判斷球會落入詹傑成手中，立刻轉身像一支飛箭般往前場衝，此時前場完全無人防守，只要詹傑成把球傳給他，就可以完成一次簡單的上籃。

只是德勤縱使這幾年戰績十分不理想，但他們總歸是乙級聯賽的球隊，發現麥克撥到球的瞬間，完全不管往前飛奔的包大偉，一隻前鋒與一隻後衛包夾詹傑成，讓詹傑成連接球的機會都沒有。

但即使沒辦法接球，詹傑成拚命把手往前伸，硬是在夾縫中把球撥走，而撿到球的，是楊真毅。

楊真毅彎腰拿到球後，看都沒看，雙手把球用力往前一送。

德勤雖然快速回防，但是人跑的速度當然比不上球飛的速度，包大偉順利接到球，輕鬆在籃下上籃取分。

比數，二比零。儘管遇到波折，但是光北第一波進攻還是用快攻拿分。

「沒關係，打一波！」德勤的控球後衛用力拍手，鼓舞士氣，接過得分後衛的底線發球。

包大偉直接站在控球後衛面前，張開雙手，重心放低，而光北就在此時發動全場壓迫防守，詹傑成很快跑向控球後衛，打算與包大偉一起包夾他。

德勤的控球後衛心裡喊糟，連忙往右邊切，想要在詹傑成過來包夾前先突破包大偉的防守，不過包大偉早一步把控球後衛的路線堵死，而就這麼一丁點的時間，詹傑成已經站在控球後衛身邊，雙手舉高。

德勤的教練在場邊大喊：「接應！快點過去接應！」

德勤的得分後衛還有小前鋒馬上跑到後場，對著控球後衛喊：「這裡！這裡！」

控球後衛被詹傑成還有包大偉的防守逼得不斷往後退，看到有人過來接應，跳起來把球傳出去，但德勤對全場壓迫防守的反應慢了一步，控球後衛跳起來把球傳給得分後衛的瞬間，楊真毅已經判斷好了球的來向，馬上把球抄走，完成簡單的上籃。

比數，四比零。

德勤的總教練萬萬沒想到光北竟然會這麼大膽，一開始就用全場壓迫性防守，在場邊大喊大叫：「幫忙擋人！」

被打出一波四比零的攻勢，而且還是一支才剛晉級乙級聯賽，完全默默無名的球隊，德勤的球員面子掛不住，此時終於認真起來。

控球後衛底線發球給得分後衛，詹傑成與楊真毅馬上上前包夾，得分後衛直接把球傳給從底線衝出來的控球後衛，控球後衛面對包大偉的防守，堅決地往左邊切，包大偉速度慢了一絲，沒擋下控球後衛，但依然緊緊跟在他身旁，不過在小前鋒的掩護下，控球後衛這次順利地把球推進到前場。

「果然是乙級聯賽的球隊，這麼快就突破光北的全場壓迫性防守。」場上拍照的蕭崇瑜說：「苦瓜哥，你說是吧。」

苦瓜哥沒理蕭崇瑜，專心看著球賽。

場上，控球後衛想趁光北防守還沒到位的情況下發動攻勢，但就在他這麼想的瞬間，光北所有球員已經跑回到後場防守，而包大偉也站在他面前不斷干擾他的運球。

控球後衛咬牙心想，可惡，光北不是一支才剛晉級乙級的球隊嗎，怎麼這麼強！

其實在賽程表一出來，德勤一知道自己的對手是剛從丙級聯賽晉級的光北，上到總教練，下到球員，全部都犯了一個錯，那就是小看了光北，連光北在丙級聯賽的十二場球賽紀錄都沒看，就認定光北只是一支在丙級聯賽裡比較強的球隊而已，根本不需要擔心。

他們在比賽前認為，他們已經先取得一勝了，殊不知，光北卻用快攻跟全場壓迫防守，馬上讓他們知道自己錯了。

包大偉雙手不斷在控球後衛身邊揮舞，不斷試圖抄球，讓控球後衛煩不勝煩。

控球後衛把球傳給隊中速度最快的得分後衛，希望靠得分後衛的切入撕裂光北的防守。

得分後衛一接到球，直接往禁區切，過了較不擅於防守的詹傑成，只不過就在他準備上籃，認為自己將穩穩拿下這兩分時，一道黑色的身影突然從旁邊撲來，而他手中的球，被一隻黑色巨手狠狠地擊飛。

「麥克，好球啊！」看到麥克賞對方一個大火鍋，李光耀馬上跳起來大吼，對著麥克比出大拇指。

只不過下一個瞬間，被麥克轟飛的球被德勤的控球後衛撿到，把球一箭穿心傳給大前鋒，大前鋒一個運球往右邊切，然後馬上轉身，收球做了一個假動作，魏逸凡被騙起來，大前鋒靠在魏逸凡身上，底線裁判哨聲響的同時，順勢將球投出。

「光北三十二號，阻擋犯規！」同時，球在籃框上彈了幾下，然後掉進籃裡。

「進算，加罰一球！」裁判喝道。

「好耶！」大前鋒右手握拳，與隊友擊掌，接著站上罰球線。

嗶的一聲，底線的裁判把球傳給德勤大前鋒，「罰一球。」

大前鋒把握住罰球機會，把球投進，完成這次三分打。

比數，四比三。

大前鋒球罰進之後，魏逸凡拿著球站到底線外，把球傳給詹傑成，說：「傑成，等一下把球傳給我。」

詹傑成看著魏逸凡眼神已經冒著不甘心的火燄，知道魏逸凡想要把剛剛那一球討回來，點頭，「好，沒問題。」

詹傑成接過魏逸凡的底線發球，幾個跨步來到前場。一過半場，德勤控球後衛馬上貼身防守，但詹傑成穩穩地控著球。

詹傑成看了控球後衛一眼，用不屑地口吻說道：「原來德勤的水準也就只是這樣而已，真是令人失望。」

德勤控球後衛大怒，「你說什……」

詹傑成故意激怒控球後衛，利用他說話的空檔往左邊切入，一路切進禁區，大前鋒馬上上前一步補防，詹傑成立刻傳球給無人防守的魏逸凡，魏逸凡一接到球，輕鬆上籃拿分。

詹傑成舉起手，與魏逸凡擊掌，「他跟你是不同等級的球員，這種事不需要證明。」

魏逸凡點頭，卻說：「我知道，但是剛剛那球是恥辱，我一定要討回來。」

詹傑成看著魏逸凡，發現魏逸凡眼神裡不甘心的火燄完全沒有消退，「好。」

詹傑成心想，還真是個不服輸的人，也是，如果沒有這種心態，他當初也不可能成為榮新高中的先發前鋒。

這次德勤的進攻中，光北的全場壓迫性防守再次被破解，不過包大偉的防守對控球後衛造成許多麻煩，讓控球後衛漸漸變得不耐煩，連續喊了幾次戰術，跑位卻非常不流暢，讓他沒辦法放心把球傳出去，最後與上一波攻勢一樣，把球交給球隊單打能力最強的得分後衛手中。

得分後衛接到球，一樣面對詹傑成的防守，知道詹傑成速度跟不上他，再次利用切入突破，不過剛剛麥克的火鍋讓他對光北的禁區有些恐懼，一看到麥克已經站在籃下虎視眈眈看著他，直接收球跳投。

得分後衛出手的瞬間手抖了一下，緊張大喊：「搶籃板球！」

不用得分後衛大喊，籃底下已經擠滿了人，不過這一球受了幸運女神的眷顧，在籃框上彈了幾下，最後還是進了。

比數，六比五。

楊真毅拿起在地上彈跳的球，底線發球給詹傑成，後者直接把球運到前場。

德勤控球後衛面對詹傑成擺出防守架式，雙眼冒著凶光，好像用眼神就可以把詹傑成撕碎。

詹傑成看都沒看控球後衛，發現魏逸凡在罰球線左邊把防守的大前鋒卡在身後，右手舉高向他要球。

詹傑成把球吊高傳給魏逸凡，魏逸凡背對籃框，右手接到球，馬上轉身往底線切，在與德勤大前鋒身體接觸時，肩膀輕輕頂了他一下，直接把大前鋒撞退，一個運球之後直接收球，輕鬆打板上籃取分。

比數，八比五。

光北進行最後一波全場壓迫性防守，但又再次被德勤破解，控球後衛跟得分後衛合作，把球帶到前場。

控衛到前場後，把球傳給得分後衛，得分後衛地板傳球給大前鋒，很快退開，清出單打空間。

大前鋒之前在魏逸凡頭上進算加罰，這次進攻更有信心，拿到球，轉身，面對籃框，先做了一個假動作，想騙起魏逸凡，但魏逸凡完全不為所動，大前鋒果斷往右邊切入，卻被魏逸凡踩住切入的路線，而且還有注意他動向的麥克。

大前鋒不敢硬切，向右轉身，收球，做一個投籃假動作，他相信這個假動作一定可以跟上次一樣騙起魏逸凡，靠在魏逸凡身上，就算球沒投進，至少可以有兩次罰球的機會。

不過魏逸凡沒有犯第二次錯，身體緊貼著大前鋒，雙手舉高，沒有被騙。

已經收球的大前鋒沒辦法再運球，魏逸凡的雙手又遮住他的視線，他不敢貿然投球，只能把球傳給外線的控球後衛。

詹傑成相信魏逸凡這一球一定可以擋下大前鋒，在大前鋒收球時，就已經盯上控球後衛，球還沒傳到控球後衛手中就直接把球抄走，毫不猶豫地往前場衝。

一看到詹傑成往前場快攻，包大偉立刻跟上去，而禁區裡的麥克、楊真毅與魏逸凡也很快地拔腿衝向前場。

德勤的控球後衛與得分後衛分別對上詹傑成與包大偉，面對控球後衛的防守，詹傑成沒有把球停下來的打算，依然往前飛奔，在三分線收球，往前跨了兩大步，但儘管如此，詹傑成依然離籃框很遠，而包大偉又被得分後衛守住，把球傳給包大偉有很大的機會失誤收場。

控球後衛跳起來，空中完全沒有與詹傑成身體接觸，雙手舉起來遮擋詹傑成的視線，心裡已經在等著詹傑成胡亂將球投出。

不過詹傑成沒有投球，而是看似隨地的把球往後丟，控球後衛視線跟著球移動，看到魏逸凡拖車跟進，穩穩接住球，輕鬆上籃得手。

比數，十比五。

控球後衛落地，不敢置信地看向詹傑成，他剛剛一直防守詹傑成，所以他可以肯定詹傑成從頭到尾沒有回頭往後面看過，而在這種情況之下，詹傑成竟然完成一次如此精彩的助攻。

這個傢伙，難道背上有長眼睛嗎？

叭！

低沉的聲音響起，第一節比賽結束。

在第一節的十分鐘裡，魏逸凡與詹傑成合力接掌整個比賽，詹傑成憑著精彩的傳球與助攻，把比賽的節奏牢牢掌控在手中。

第一節的後半段，德勤的節奏完全被光北牽著走，當中最大的功臣絕對是詹傑成。而魏逸凡則發揮自己屬於甲級聯賽的實力，在禁區打得德勤潰不成軍，大前鋒完全無法守住魏逸凡。

德勤總教練很快下達指示，只要魏逸凡一拿到球就包夾，但是魏逸凡一遇到包夾，馬上把球交給外圍的詹傑成，讓詹傑成重新組織一波進攻，或是將球交給禁區的好夥伴楊真毅，讓楊真毅可以在大空檔的情況下輕易把球投進。

魏逸凡與詹傑成一裡一外，幫助光北在第一節就順利取得領先。

比數，二十五比十五。

美中不足的是，魏逸凡在第一節比賽快結束前，為了擋下德勤得分後衛的切入，身體上有所接觸，賠上一次犯規，加上這次犯規，魏逸凡在第一節已經累積兩次犯規了。

除了魏逸凡之外，麥克在這場比賽一開始太過緊張，雖然做好自己的本分，幫光北鞏固籃板球，但也幾次出現走步與籃下三秒的違例，平白送了幾次球權給德勤。

麥克在失誤後更加緊張，不過魏逸凡與楊真毅兩個人在場上不斷安撫麥克的情緒，並且在攻防兩端扛起壓力，讓麥克只要專心搶籃板就好，加上李光耀在場邊喊話，麥克緊張的情緒慢慢平復，在第一節後半段穩定下來。

先發球員回到板凳區，拿起擺在椅子上的毛巾與水瓶，一屁股坐在椅子上，喘著大氣，連喝了幾口水。

因為一、二節之間的休息時間很短暫，李明正長話短說，「逸凡，你兩次犯規了，自己要小心。麥克，籃板球搶得不錯，你不用怕，德勤沒有半個人籃板球搶得過你。」

李明正簡短叮嚀幾句後，做了光北正式比賽以來第一次的陣容輪替，「第二節，光耀跟忠軍上，傑成和大偉休息。偉柏，逸凡兩次犯規，你頂替他的位置。」

「是，教練！」

此時，場邊裁判哨聲響起，同時用手勢示意兩邊球員上場。

李光耀、王忠軍與高偉柏脫下外套，昂首闊步地走上場，李光耀表情充斥著興奮，雙眼冒著火燄，他已經等不及要把丙級聯賽那十二場比賽都坐冷板凳的能量一次爆發出來了！

詹傑成、包大偉與魏逸凡用毛巾擦去不斷滴落的汗水，同時喝水補充流失的水分。趁著這個空檔，魏逸凡手肘靠了詹傑成一下。

詹傑成揚起眉毛，用奇怪的眼神看向魏逸凡，「幹嘛？」

「跑快攻那一球，你怎麼知道在你後面的是我，我記得你沒有往後看過。」魏逸凡非常好奇地問。

詹傑成喝了一口水，搖搖頭，「我不知道是你。」

魏逸凡著實驚訝，「啊？」

詹傑成聳聳肩，「我只是聽到有人在我後面奔跑的聲音。」

魏逸凡不敢置信地看著詹傑成，「然後你就這樣往後一傳？」

詹傑成用力地點頭，用堅定的眼神看著魏逸凡，「因為我相信，第一個追上來跑在我後面的，一定會是我的隊友。」

魏逸凡聽著詹傑成篤定的語氣，看著他堅定的眼神，心中完全被震撼了。

「你是我見過最瘋狂的控球後衛。」魏逸凡驚歎道。

「也會是最強的控球後衛。」詹傑成語氣帶著堅決與信心。

「苦瓜哥，李光耀上場了！王忠軍也上場了！」觀眾席上，蕭崇瑜轉頭，激動地對苦瓜大叫。

苦瓜站起身，把咖啡放在椅子上，走到欄杆前，身體往前倚，雙手靠在欄杆上，「除了練習之外，這還是我第一次看李光耀上場打球。」

「苦瓜哥，別忘了，還有王忠軍啊！」不知道為什麼，蕭崇瑜今天第一次看到王忠軍的時候，他非常不顯眼的身高加上瘦弱的身材，還有彆腳的運球跟上籃動作，深深擊中蕭崇瑜的內心，讓蕭崇瑜特別想注意他，想知道他在籃球場上有什麼特點，可以讓李明正同意他加入籃球隊。

苦瓜沒理會蕭崇瑜，看著德勤上場的依然是先發陣容，說：「看來德勤想要搶分，還是先發陣容。」

苦瓜說中德勤總教練的心思，在第一節比賽過後，德勤總教練雖然很不願承認，但光北的實力確實在德勤之上，光是詹傑成與魏逸凡就把德勤搞得團團轉，只不過德勤總教練並不認為德勤會輸。

德勤的總教練認為光北能拿到丙級聯賽的冠軍，進而參加乙級聯賽絕對不是運氣，而是靠著詹傑成與魏逸凡兩個人的努力達成的，現在魏逸凡有兩次犯規，詹傑成又下去休息，是德勤把比分縮小，甚至是超前的大好機會，雖然這麼做會讓先發球員體力劇烈下滑，但是為了比賽的勝利，也是不得不的選擇。

第二節比賽一開始，德勤球權，光北在後場採二三區域聯防。

德勤的控球後衛一把將球帶過半場，看著又矮又瘦的王忠軍，重心一壓低，毫不猶豫地往禁區切，而王忠軍也馬上就被控球後衛過了。

對於王忠軍的防守能力，光北每個人都知道，因此禁區早就有心理準備，德勤會針對王忠軍進攻。

高偉柏在控球後衛切入的瞬間就有所反應，上前補防，擋住控球後衛的切入。控球後衛馬上分球給小前鋒，小前鋒做一個假動作，但沒有順利騙起楊真毅，接著堅決地往左邊切，收球上籃，楊真毅與麥克兩人一起跳起來要封阻小前鋒的投籃，不過小前鋒在空中小球傳給大前鋒。

大前鋒一拿到球，在籃下沒有人防守，跳起來準備投籃打板取分，不過一隻大手卻突然出現在眼前，高偉柏適時回防，右手直接把大前鋒的球拍走。

「吼啊！」高偉柏蓋了一個大火鍋之後，雙手握拳，仰天大吼，惡狠狠地大叫：「誰都別想從我頭上得分！」

楊真毅眼明手快，馬上把高偉柏蓋下來的球緊抓在手中，接著傳給李光耀。

李光耀接住楊真毅的傳球，用接下來的表現，粉碎德勤總教練贏得這場比賽的希望。

李光耀把球帶到前場，雙腳跨過中線的時候，左手運球，右手伸起來，往旁邊一揮。

光北的隊員看到李光耀做出這個手勢，很有默契地往旁邊站，把中間的空間清出來。

李光耀慢慢往前走，走到距離三分線兩大步的時候，德勤的得分後衛上前防守，李光耀重心壓低，一個胯下變向運球晃過得分後衛，身體像一隻獵豹般瞬間加速，一個跨步就把得分後衛甩在身後，在罰球線的位置收球，德勤的中鋒反應很快，這時已經站在籃下準備送李光耀一個大火鍋。

德勤的中鋒時常站在籃下補防，對方的後衛看到他只會有兩種反應，第一，放棄進攻籃框的企圖，把球傳給別人；第二，依然沒有放棄得分，為了閃躲他的封蓋在空中扭動身體。

中鋒知道自己只要站在籃下，憑著自己的身高跟厚實的身材就有十足的嚇阻力，只要抓準補防的時機，他有自信，在乙級聯賽很少有後衛球員可以面對他的補防得分。

只不過，今天，中鋒見識到了在他補防之下，對手的第三種反應。

這是中鋒第一次看到李光耀，也是第一次防守他，但是在這一次的補防之後，李光耀三個字將深深烙印在他的腦海中，往後的人生都不會忘記。

李光耀似乎看不到中鋒的防守，眼裡只有籃框，用力跳起來，在眾人的目光裡，李光耀好像火箭升空，彈跳速度快得嚇人，完全無視中鋒的防守，右手拿球往後拉，身體像是老鷹般伸展開來，在空中達到最高點的時候，直接把球塞進籃框裡。

砰！

爆炸性的聲音響起，籃球架在李光耀的灌籃下搖搖晃晃，發出刺耳的金屬摩擦聲。

李光耀抓著籃框，整個人騎在中鋒身上，中鋒一臉驚恐，似乎還不知道發生什麼事。李光耀手放開，身體落下，繃緊全身的肌肉，仰頭狂吼，把之前丙級聯賽那十二場坐冷板凳的沉悶心情透過剛剛的灌籃，還有現在的怒吼全部發洩出來。

觀眾席上的蕭崇瑜馬上拿起相機，對著李光耀連續拍了幾張照片，「李光耀一上場就直接來一個大灌籃，太誇張了！」

苦瓜眼裡閃過一絲興奮的光芒，表情卻沒有任何的變化，輕輕點了頭，走回座位，拿起椅子上的咖啡，又坐了下來。

雖然苦瓜沒說話，但蕭崇瑜知道苦瓜對剛剛李光耀那個切入，是非常滿意的。李光耀的實力，並沒有辜負苦瓜心裡對他的期望。

李光耀怒吼完，馬上跑回去防守，而在灌籃後，李光耀的鬥志如同火燄般熊熊燃燒，也將光北的氣勢帶起來。

李光耀在接下來的防守端鎖死得分後衛，逼得他差點發生失誤，讓他在慌忙之間不得不把球傳回給控球後衛。

控球後衛想把球往禁區塞，但發現禁區裡有面露凶光的高偉柏，有高大的麥克，還有一個不搶眼，但其實進攻與防守都有一定實力的楊真毅。

控球後衛驀然發覺，自己是場上唯一一個在對位上，擁有進攻優勢的人。

控球後衛知道自己沒時間猶豫，但外線不是他的強項，他壓低身體往右邊切，過是過了王忠軍，可是光北禁區的壓迫力太可怕，讓他不敢繼續往裡面切，收球急停跳投。

不過這次出手力道過大，球彈框而出，籃板球被高偉柏搶下來。

高偉柏心不甘情不願地把球傳給李光耀，李光耀感受到高偉柏傳球的力道，抬起頭，目光與高偉柏交會，咧嘴笑道：「怎麼一點力氣都沒有，禁區扛得住嗎？」

高偉柏冷哼一聲，沒理會李光耀的挑釁，一路跑到前場去。

李光耀緩慢地把球帶到前場，這次得分後衛在李光耀一過半場就貼上來防守，而後面的德勤球員眼睛也都注意著李光耀的動向，深怕李光耀又來一記灌籃。

李光耀球運得很高，得分後衛想抄球卻不敢貼的太近，他剛剛親身體驗過李光耀驚人的速度，知道如果貼近防守，下場只有被過的份而已。

只不過，對於李光耀而言，得分後衛的防守就像是不會動的椅子一樣，右肩一晃，加上一個換手運球，簡簡單單地就晃過得分後衛。

控球後衛放下自己防守的王忠軍，馬上過來補防，只不過李光耀等的就是這個機會，控球後衛一站過來，馬上將球傳給站在右邊側翼，三分線外的王忠軍。

王忠軍一拿到球，毫不猶豫地直接出手。

接下來的唰聲，讓王忠軍心中感到無比振奮。

德勤總教練心中一涼，有了極不好的預感，看著子弟兵運球過半場，在場邊大喊：「球要輪轉，不要想靠個人能力打球！」

然而，兩隊的差距就是擺在那裡，儘管德勤的球員努力空手跑位，但是除了王忠軍之外，李光耀、高偉柏、楊真毅與麥克都是防守不錯的球員，德勤的球員怎麼樣都跑不出空檔，最後依然把球交給個人能力最強的小前鋒。

而小前鋒的切入又被楊真毅擋下來，最後在二十四秒進攻時間結束前，胡亂投了外線，球軌道明顯偏移，彈框而出。

麥克把籃板球搶下來，然後把球交給他最信任的李光耀。

李光耀不急不徐地運球過半場，這一次，李光耀又是輕鬆過了得分後衛的防守，吸引防守後，再把球傳給三分線外的王忠軍。

王忠軍沒有絲毫的猶豫，拿到球，直接出手。

唰的一聲，三分球再次空心入網。

王忠軍球進後，李光耀突然大喊：「不要退，全場壓迫！」

德勤總教練，眼神絕望。

叭！

第二節比賽結束。

在第二節比賽，李光耀率先發動攻勢，接著王忠軍三分外線炮火發揮，德勤不得不擴大防守圈，而李光耀馬上改變傳球對象，把球塞給禁區的高偉柏及楊真毅，兩人合力把德勤的禁區摧殘得一塌糊塗。

第二節上場五分鐘後，李光耀下場休息，換上詹傑成，而在詹傑成穿針引線之下，雖然少了李光耀的切入攻擊能力，但高偉柏的禁區火力太威猛，就算遭到包夾，依然可以利用本身的手感與身體素質硬是把球投進，而且外圍還有王忠軍的三分火力支援，在第二節，光北拉出一波驚人的二十比零攻勢，奠定這場比賽的勝利。

下半場，第三節一開始，李明正讓先發陣容上場，專注防守，進攻一樣著重在禁區的魏逸凡與楊真毅，雖然沒有跟第二節一樣瞬間拉開比分，但是在穩紮穩打之下，把德勤的命中率壓制在三成以下，單節比分，二十比七。

最後的第四節比賽，李明正讓李光耀與王忠軍上場，高偉柏則代替疲累的楊真毅，而李光耀一開始就發動攻勢，連續兩次強攻禁區得手，讓德勤不得不分出心力包夾他，然後視情況傳給禁區的魏逸凡、高偉柏，或是三分線外的王忠軍。

五分鐘之後，李明正又做了一次陣容的輪替，把李光耀換下場，詹傑成上場。

比賽最後五分鐘，光北不論是進攻或防守都將德勤壓得死死的，就算德勤想要反撲，但因為比數在前三節就已經拉開，根本無力回天。

最後比數，八十比四十，光北大獲全勝。

個人表現方面：

李光耀，八分，五投四中，四助攻。

魏逸凡，十八分，十二投八中，七籃板，三助攻。

高偉柏，十四分，八投六中，五籃板，兩助攻。

楊真毅，十八分，十一投八中，七籃板，五助攻。

詹傑成，五分，五投二中，兩籃板，十二助攻。

包大偉，兩分，二投一中，三籃板，零助攻。

王忠軍，十五分，三分球八投五中，零籃板，零助攻。

李麥克，三投零中，二十五籃板，零助攻。

比賽結束後，德勤的球員垂頭喪氣地走回板凳區，穿上外套，喝水擦汗。總教練讓球員整理一下東西，準備帶球員離開時，面前出現一個人。

「陳總教練你好，我是《籃球時刻》雜誌的編輯，是否方便做個採訪？」苦瓜簡單地說明來意。

陳總教練點點頭，「好。」

「請問陳總教練在這場比賽後，對光北有什麼樣的看法？」

陳總教練馬上搖頭苦笑，「我想要知道光北這支強隊是從哪裡蹦出來的，在賽程表出來的時候，我們還想光北是從丙級聯賽上來的球隊，實力一定不怎麼樣，沒想到光北竟然是一支這麼強的隊伍。」

「請問陳總教練有沒有對哪個光北球員留下深刻的印象？」

陳總教練想也不想地說：「當然是二十四號李光耀，我當教練二十年了，還沒看過台灣有哪一個高中生可以像他一樣，衝入禁區面對補防還可以灌籃。台灣跳得高的高中生不少，但是像他那麼有膽氣的人，除了他之外我還沒見過第二個。」

苦瓜點點頭，這個陳總教練話很多，讓他幾乎不需要特別引導，採訪起來非常輕鬆。

「今天德勤輸給光北，請問陳總教練認為最大的問題出在哪裡？」

陳總教練嘆了一口氣，「這場比賽，其實有眼睛的人都看得出來光北跟德勤實力上的差距，不管哪一個位置，光北球員的實力都比德勤強，不過我覺得這場球輸了，最大責任在我，是我太小看光北，在比賽前就輕敵，讓球員也鬆懈下來，否則我相信今天德勤就算輸，比分也不會這麼難看。」

「好的，謝謝陳總教練接受採訪。」

陳總教練沉重地點點頭，「不客氣。」

苦瓜關閉手機的錄音功能，轉身時看到蕭崇瑜也剛結束採訪，站在原地，等蕭崇瑜走過來。

如苦瓜所料，蕭崇瑜拿著手機，手上提著沉重的攝影器材，馬上走向他，「苦瓜哥，你聽，李明正又來了。」

苦瓜按下播放鍵，蕭崇瑜與李明正的聲音頓時從手機喇叭中流洩而出。

「李教練你好，首先恭喜光北在乙級聯賽旗開得勝。」

「嗯，謝謝，如果你想問我王忠軍的事，他是光北的本校生，在加入光北之前沒有參加過任何的球隊，也沒有參加過任何的比賽，他的特色我相信你剛剛一定也看到了，簡單說，他就是台灣高中籃球最準的三分射手，謝謝。」

李明正的聲音消失之後，錄音就結束了。

苦瓜用懷疑的眼神看向蕭崇瑜，蕭崇瑜聳聳肩，「苦瓜哥別這樣看我，李明正說完之後就直接拍拍屁股走人了。」

蕭崇瑜把手機放進口袋裡，興奮地說：「苦瓜哥，你有沒有聽到，李明正說王忠軍是全高中籃球最準的三分射手，我就說吧，以李明正的眼光，一定是看到王忠軍某一個特點，否則不會讓他進入光北打球的！苦瓜哥，你就承認吧，雖然王忠軍的基本動作很爛，可是三分球真的很準。」

苦瓜看了蕭崇瑜一眼，輕哼一聲，「該走了。」

蕭崇瑜心裡大樂，苦瓜會有這種反應，就代表苦瓜根本沒辦法反駁他說的話，也代表在苦瓜心裡，其實已經認同王忠軍的三分球能力。

王忠軍，真是太帥了！

第八章

比賽結束後的隔天，李光耀在清晨四點的鬧鐘響起後才懶洋洋地起床，打了個大大的哈欠，走到浴室洗漱讓自己清醒過來。

在大多數人都還在熟睡的時間，李光耀手裡拿著籃球，站在庭院的籃球場上。他又打了一個大大的哈欠，伸了一個懶腰，開始暖身，喚醒自己的身體。

暖身結束後，李光耀開始折返跑，不過今天李光耀跑步的速度很慢，因為昨天才結束一場比賽，雖然上場的時間很少，李明正也限制他在比賽的出手次數，但是身體畢竟有在球場上劇烈的活動，李光耀不希望造成身體上太大的負擔，因此刻意放慢步調。

李光耀跑到微微流出一點汗，身體暖起來後，開始在籃框左右兩側四十五度角跳投，兩邊各投完一百球後，走到罰球線練習罰球，以九成的命中率同樣投進一百球後，李光耀讓自己休息一下，深吸幾口氣，享受清晨時分空氣的清新與清涼，十分鐘後才開始進行下一個練習項目，運球。

李光耀從旁邊的籃子裡又拿出一顆籃球，雙手同時運球。

李光耀今天為自己排定的練習菜單十分輕鬆，練習量跟平常比起來大概只有一半，而且沒有任何需要劇烈運用身體肌肉的項目。

今早的自主練習，可以說只是維持手感而已。

結束運球的練習後，李光耀進屋裡沖了個舒服的熱水澡後，興致一來，趁著還有一點時間，跑到廚房幫自己做早餐。

說是做早餐，但李光耀這個平常不曾進廚房的人，當然不可能做出什麼精緻餐點。他拿出四片吐司，打開肉鬆與鮪魚罐頭，鋪在其中兩片吐司上，再拿出兩顆雞蛋幫自己的早餐增加一點蛋白質，但是打蛋時不小心力道過大，蛋殼整個碎掉。

李光耀花了很多時間才把蛋殼從蛋汁裡面挑出來，但熱鍋時火開得太大，險些就把荷包蛋煎焦了，最後有驚無險地用鍋鏟把蛋挑起放在肉鬆與鮪魚上，然後用另外兩片蓋上。

李光耀流肉鬆蛋與鮪魚蛋吐司，完成！李光耀臉上充滿得意的笑容。

這時樓梯傳來腳步聲，李明正走下樓，看到李光耀在廚房，笑罵道：「臭兒子，早上弄得叮叮咚咚的在煮什麼東西，都把你媽跟我吵醒了！」

「吐司！」李光耀把兩份吐司裝進塑膠袋裡，向李明正展示成果。

「就這麼一點東西也可以弄出這麼大的動靜，算你厲害。」

李光耀雙手一攤，「沒辦法，誰叫廚藝這方面我遺傳自老爸你比較多。」

李明正聽出李光耀在損他，再次笑罵：「臭小子沒被揍過。」

李光耀把吐司塞進後背包裡，「我去上學囉。」

「今晚還要練習，自己調整節奏，別把體力都用光了。」

「好。」

★

在球隊沒有練習的這一天早晨，光北的籃球場上，卻有一個人在努力練習投籃與上籃。

這個人是包大偉，在上一場與德勤的比賽中雖然只留下兩分、三籃板、零助攻的不起眼成績，但是他對光北的貢獻是數據無法表現出來的。

包大偉只要一上場，總是盡他所能死死地纏住德勤的控球後衛，間接打亂德勤的進攻節奏，讓光北的防守無形間輕鬆許多。

儘管經歷昨天的球賽，上場時間超過二十五分鐘，包大偉卻一點都沒有疲憊的模樣，認真地在球場上練習著各種進攻方式。

在無人防守，進攻完全沒有壓力的情況下，包大偉的進球率非常高，可是包大偉卻沒有因為那一直出現的唰聲感到滿意，依然不斷投著球。全副精神專注在籃球與籃框上，完全沒有注意有人在跑道上看著自己。

突然包大偉一記跳投失手，站在跑道上的人走進球場，對包大偉說：「就練到這裡吧，晚上球隊還要練習。」聽到熟悉的聲音，包大偉轉頭一看，發現是吳定華，黯然地點點頭，「是，教練。」

吳定華看著包大偉黯然的表情，說：「想要聽一些建議嗎？」

聽到吳定華說這句話，包大偉訝異地抬起頭，對自己沒信心的他，非常害怕聽到吳定華對自己的負面評價，心臟速度加快，但是他知道若不正視自己的弱點，永遠都沒辦法進步，咬牙道：「想，教練。」

「我發現不管是比賽或練習的時候，你投籃的節奏都太過急躁，你自己練習時因為沒有人防守，心理上的壓力比較少，就算節奏沒有掌握得很好，還是可以把球投進，但比賽就不一樣了，面對防守的時候，你投球的節奏往往太快，所以你的投籃動作非常不穩定，命中率不好看，進而造成你在進攻端沒有自信，就算眼前是大空檔，你也往往把球傳給詹傑成或禁區的隊友，而不是選擇自己投籃。

「在場上的時候不要猶豫，你想太多，出手的時候猶豫，只會造成惡性循環。」

吳定華一針見血地指出包大偉的情況，讓包大偉心裡的自卑更加深了一些，表情更黯淡。

看著包大偉的模樣，吳定華關心道：「你有什麼煩惱，可以說給我聽，教練可以幫你。」

包大偉雙拳緊握，深深吸了一口氣，鼓起勇氣說：「教練，我想要變強，我不想要拖累球隊。」

吳定華發現包大偉臉上出現痛苦的表情，靜靜等待包大偉，讓包大偉一次把話說完。

「我覺得自己好弱，就跟教練您說的一樣，在球場上我進攻不行，投不進球，還要隊友幫我搶進攻籃板，防守也很差，在丙級聯賽還可以應付，可是一到乙級聯賽，我就開始有點力不從心。拿上一場比賽來說，我必須使出渾身解數才能守住德勤的控球後衛，而我知道德勤的控球後衛水準在乙級聯賽來說並不算高，將來比賽如果遇到更強的人，我怕我只會拖累球隊……」

包大偉咬著牙，不甘心地說：「球隊裡每一個人都比我強，不說李光耀、魏逸凡跟高偉柏，麥克他人高手長，跳得高，進步得又很快；楊真毅打球聰明又冷靜；詹傑成防守跟外線比較不穩，可是他根本是控球天才、王忠軍也不用說，三分球非常準，是球隊最可以信任的射手，就只有我什麼都不會……」

吳定華搖搖頭，「你前面說對了，只有最後一句錯了。」

吳定華用堅定的語氣繼續說：「你會的比你想的多很多，你前面說的，不論是麥克的籃板、王忠軍的外線三分球、詹傑成的傳球，都可以由數據表現出他們的突出，可是只有你對球隊的貢獻是數據沒辦法體現出來的。你知道嗎，整個光北隊我最欣賞的球員，不是李光耀，不是詹傑成，不是魏逸凡，也不是王忠軍，而是你。

「沒錯，就實力上來說，你差李光耀、魏逸凡、楊真毅一大截，可是你在比賽的時候總是場上最積極的球員，盡全力去防守對方的控球後衛，盡全力的跑快攻，盡全力去救每一顆要出界的球，盡全力做好你能做好的事，不論是進攻端或是防守端，都不放棄任何可以幫助球隊的機會。或許你沒察覺，但是在場外的我看得一清二楚，只要有你在場上，每一個人都充滿鬥志，你用你的積極感染了場上的隊友，讓他們一樣積極地把精神投入在場上，全心全意做好每個人最擅長的事，形成了球隊的化學效應，而這都是因為你。」

吳定華雙手放在包大偉的肩膀上，「你可能永遠沒辦法像王忠軍那樣投三分，像詹傑成那樣傳球，像麥克一樣搶籃板，像魏逸凡一樣得分，像李光耀一樣灌籃，可是你也有你自己所能做到，但其他人做不到的事。不要小看自己，你是球隊裡不可或缺的一份子。」

感受到吳定華雙手的溫暖，還有眼神中的真誠，包大偉心裡頓時湧現出被肯定與信任的感動。

一直以來，他自知是球隊最弱的人，所以在場上總是加倍努力地奔跑，只想著不要拖累球隊，不要拖累其他人。可是當原本體能跟自己一樣差的詹傑成展現出傳球的天賦，膽小內向的麥克飛速進步，防守腳步很慢的王忠軍擁有足以彌補的三分神射，包大偉的自卑開始像是螞蟻一樣跑出來，啃蝕他的內心，讓他陷入了自我懷疑的黑暗世界中。而現在，拯救他的曙光出現了，而且還是來自於一個他從未預料到的人。

「謝謝你，教練。」包大偉真誠地感謝，雖然吳定華只是講了幾句話，但是這些話已經讓他建立起信心，足夠驅走他心中的自我懷疑與自卑。

吳定華對包大偉露出笑容，「不客氣，你知道嗎，以前我有個隊友，他各方面的能力都是球隊裡最弱的，可是他跟你不一樣的地方在於，他對自己極有自信，而且自信到幾乎盲目的地步，他總說他早晚會成為最強的籃球員，整天叫我們等著看，只不過我們不討厭他的自信，因為在他的自信下，是比任何人都認真練球的努力。

「他的情況跟現在的你很像，在場上除了防守與快攻之外，什麼事都做不了，所以他做了一個決定，就是把會做的這兩件事，做到比任何人都還要好，他努力練習防守腳步，讓自己成為防守大鎖，專門防守住對方擅長得分的後衛，也努力練習爆發力，在有快攻機會時總是用最快的速度衝到前場，讓對手防不勝防。

「當年的他連運球都不太行，專注練習防守與快攻，最後也成為讓對手非常頭痛的人物，而你基礎比他深厚，努力的程度有過之而無不及，我相信你的成就一定會比當年的他更好。」

包大偉聽著吳定華的言語，心裡一動，「教練，請問你那個隊友當年是怎麼練快攻的？」

吳定華撿起地上的球，站在三分線的位置，彎下腰，奮力地用雙手把球往後拋，球劃過一道高高的拋物線，落在對面半場的三分線。

「他就是這樣把球往後拋之後，轉身去追球，然後上籃，接著再把球往後拋，追球，上籃。他的思考模式很簡單，練習的方法也很簡單，可是他以前每天都一定要這樣上籃投進一百球，然後就這樣成為球隊裡快攻得分最多的球員。」

「平凡的事情只要做了一千次，一萬次，就可以變得不平凡。」吳定華拍拍包大偉的肩膀，「我相信你一定可以的。我待會還有一點事要跟助理教練討論，今天就練到這裡吧。晚上球隊還有練習，別在這時候就把自己累壞了。」

吳定華轉身離開，包大偉對著吳定華的背影喊道：「是，教練！」

★

「小姐，學校快到了。」福伯駕駛著賓士S 500，提醒坐在後座閉眼休息的謝娜。

「嗯，謝謝。」謝娜睜開雙眼，眨了眨眼睛，長長的睫毛動了動。

福伯看著後照鏡裡的謝娜，微微一笑，「小姐，學校還習慣嗎？」

謝娜撥了撥頭髮，「嗯，還可以，同學都不錯。」

「有沒有參加學校的社團活動？」

「魔術社。」

「魔術社，真不錯，我都不知道小姐對魔術有興趣呢。」

「沒有興趣，只是幾個比較要好的同學拉著我一起去參加而已。」

「所以是同學想要學怎麼變魔術？」

「也不是，是魔術社的社長很帥，要好的同學很喜歡他，所以拉我一起過去參加魔術社。」

「小姐也喜歡那個社長嗎？」

謝娜搖搖頭，「不喜歡，我覺得他太假惺惺了。」

「原來如此。小姐，那妳有喜歡的人嗎？」

「沒有。」

「光北男生這麼多，沒有半個吸引妳嗎？」

「沒有，他們都太幼稚了。」謝娜一臉嫌惡。

說話的當下，車子已經接近光北高中的校門口，但謝娜卻突然叫道：「停！福伯，路邊先停一下，我在這邊下車就好。」

「是，小姐。」雖然不知道為什麼謝娜突然間激動起來，不過福伯還是聽謝娜的話，打了右轉燈，穩穩地把車停在路邊。

福伯以為謝娜是身體不舒服，正打算回頭關心時，突然見到一個男生流著滿身大汗走進校門口，福伯臉上馬上露出笑容，「小姐，妳騙我。」

謝娜露出疑惑的表情，「什麼？」

「上禮拜六我陪小姐到公園走走的時候，小姐妳突然停下來，就這麼站在原地看一個男生在球場練球，當時妳說妳不認識那個男生，可是剛剛滿身大汗走進校門口的，不就是那個在公園打球的男生嗎？」

謝娜平復情緒，淡淡地說：「福伯，你認錯人了。」

福伯臉上露出饒富趣味的笑容，「他是不是做了什麼事讓小姐不開心？」

謝娜一張口就想抱怨李光耀的自以為是，可是想起自己不斷否認認識李光耀，只能說：「沒有，我根本不認識他。」

福伯臉上的笑容更大了，「真是難得見到小姐這麼在意一個人呢。」

謝娜瞪大雙眼，反駁道：「誰在意他！是他……」

謝娜驚覺自己不小心說溜嘴，馬上閉上嘴巴，不再說話。

福伯看著謝娜氣呼呼的模樣，輕笑幾聲：「原來小姐真的認識他，他還真厲害，能讓小姐情緒起伏這麼大。也是，長相陽光帥氣，又愛打籃球，身材又好，比起什麼文文弱弱的魔術社社長，他條件好多了。」

謝娜看著後照鏡中福伯的笑容，忍不住生氣地說：「他條件哪裡好，自大狂兼自戀狂一個。」

福伯皺起眉頭，「難道他真的惹小姐妳不開心？要不要我請夫人聯絡這間學校的校長……」

謝娜可不希望因為李光耀而搞得滿城風雨，搖搖頭，「不要，我不要理他就好，反正男生都一樣，只要不理他們一陣子，就不會繼續來煩我了。」

福伯聽到關鍵字，「所以那個男生喜歡小姐？」

發現自己又說溜嘴，謝娜暗罵自己白痴，拿起書包，打開車門，下車朝校門口走去。

「小姐慢走。」福伯笑咪咪地在車裡目送謝娜，看著生悶氣的謝娜快步走進學校，他搖頭笑了笑，「小姐果然還只是個孩子，真是可愛啊……」

謝娜雖然氣惱，但在走進校門後馬上把腳步放慢，因為她怕自己走太快，遇到李光耀被他纏上那才真是麻煩。

謝娜腳步故意放得很慢，想起剛剛在車上與福伯談話的內容，火氣又冒了上來。誰在乎李光耀！李光耀有什麼值得在乎的！是李光耀一直煩她，而且李光耀條件一點都不好！比起來，魔術社社長斯文的模樣更吸引人，真不知道為什麼學校那麼多女生喜歡李光耀，她們真該都去檢查一下眼睛！

謝娜氣惱的同時，李光耀正換好制服，從廁所走出來。謝娜一看到李光耀馬上蹲低身體，深怕李光耀發現她。而李光耀手裡拿著一大罐裝滿水的寶特瓶，仰頭連喝了幾口水，邊喝邊往教室的方向走去。

謝娜皺起眉頭，李光耀也太沒家教了，邊走邊喝水實在有夠粗俗，而且也容易撞到人，撞到人就算了，若是手一滑水噴到別人身上該怎麼辦。

謝娜搖搖頭，對李光耀的評價再度下降，心想李光耀果然是個粗鄙的人，被這種人喜歡上還真是麻煩，不過同時心裡卻又浮現另一個截然不同的念頭。

他該不會每天都這樣跑步來學校吧？

謝娜保持著與李光耀之間的距離，看著許多女生與李光耀擦肩而過時都會故意放慢腳步回頭看他，女生們臉上那害羞又仰慕的表情……

謝娜必須努力克制自己，才能夠不邊走路邊翻白眼。

接著不只是與李光耀擦肩而過的女生，就連身邊的女生看到李光耀走在前面，也加快腳步偷偷跟上李光耀。

「前面是不是李光耀啊，好帥喔！」

「妳看他的肩膀超寬的，我上次有看到他打籃球，他手臂的肌肉超性感的！」

「天啊，我好想靠在他的肩膀上，他好 man！」

「怎麼有男生就連喝水都可以這麼帥啊，我快瘋了。妳陪我去跟他要手機號碼好不好？」

一群花痴！

謝娜終於忍不住翻了白眼，加快腳步，想要離身邊幾個女生遠一點。不過她們接下來討論的話題，卻又讓她放棄這個念頭。

其中一個女生擺擺手，「要也沒用啦，人家不會理妳的，之前有超多女生寫情書給李光耀，可是李光耀早就說啦，除了謝娜之外他誰都不要。」

「但不是聽說謝娜不想理他嗎，我還是有機會的。」

「妳想都別想，之前二年級有一個超漂亮的學姐向李光耀告白，但李光耀到現在連理都沒理那位學姐，劉晏如學姐，聽過吧，就連學姐這種等級的美女李光耀都沒感覺了，妳還是省省吧。」

謝娜突然停下腳步，大聲說話的女生完全沒發現走在她們後面的就是謝娜本人，繼續吱吱喳喳地討論李光耀與謝娜之間的八卦。

★

早上八點十分，吳定華坐在李明正家中，享用林美玉親手做的早餐。

「吃不夠的話還有，明正食量很大，所以我平常都會多煮一點。」

「好，謝謝，很好吃。」吳定華對林美玉笑了笑，語氣裡帶著拘謹。

「你客氣了，好吃就多吃一點。」林美玉笑盈盈的，顯然很滿意吳定華的稱讚，她吃完一碗粥之後，拿起碗筷，起身走向廚房，離去前還不忘說：「吃完放著就好，晚一點我再收拾。」

李明正看著林美玉離開，湊近吳定華，小聲地說：「幫我多吃一點，最近我老婆更年期到了，越來越囉唆，整鍋吃完會念我變得越來越胖，沒吃完又會一直說是不是開始嫌她做飯不好吃，都快煩死了。」

「李明正，我有聽到。」林美玉走到廚房門口，突然轉頭狠狠瞪了李明正一眼。

李明正只能傻笑。

林美玉走進廚房後，吳定華整個人才放鬆下來，「你該知足了，你老婆手藝很不錯，不輸給外面餐廳的大廚。」

「當然不錯，不然我怎麼會越來越胖。」李明正掀開衣服，露出緊實的六塊腹肌，「以前還有八塊，現在只有六塊。」

吳定華忍不住翻了白眼，「真是夠了。」

李明正大笑，「好啦，多吃點，我老婆又不是什麼妖魔鬼怪，就算有她在也不用那麼拘謹。」

林美玉從廚房裡探出頭來，眼神更加凶狠，「李明正，我有聽到。」

李明正再次傻笑。

吳定華筷子從沒停過，連吃了三碗滿滿的竹筍瘦肉粥，滿意地放下筷子，再次強調，「你老婆手藝真的很棒，我最近刻意控制食量，但是實在忍不住多吃了幾口。」

「這是當然。吃飽了嗎，等我一下。」李明正剛吃完第三碗粥，食量非常驚人的他，把鍋裡還剩下三碗份量的粥一次吃完，一個早上就吃了六碗粥，這才滿意地打了個飽嗝。

「你真的是個怪胎。」吳定華感嘆，想當年高中打球時他也擁有傲人的八塊肌，可是在當完兵出社會後，腹肌團結成一塊不說，三十歲過後肚子越來越大，腰圍從原本的二十八吋增加到現在的三十六吋，唯一讓他感到欣慰的是，當初籃球隊的人大部分都跟他一樣肚子明顯大了起來，其中有幾個頭髮也禿了。

只有李明正這個異類，身材還是保持著幾乎與當年在籃球場上飛奔時一樣，輪廓分明的臉上雖然添增了幾道皺紋，不過卻因此多了幾分成熟男人的穩重。

吳定華不禁心想，這世界還真是不公平。

李明正得意地笑道：「我會把你的話當作讚美。」然後拍拍肚子，「吃飽了，該辦正事了，走吧。」

李明正與吳定華站起身來，往客廳移動，吳定華從側背包拿出一片光碟遞給李明正，光碟上面寫著：大容高中。

李明正把光碟放進DVD播放器裡，拿起搖控器按下播放鍵，電視螢幕上不久就出現畫面。

「穿橘色球衣的是大容高中，灰色的是德勤高中，這是去年大容的第三場比賽，最後以二十分的分差大勝德勤。」吳定華說。

李明正點點頭，「二十分，說明了兩者實力的差距可不小。」

吳定華分析道：「大容的特點就是快，去年在乙級聯賽每場平均得分是八十分，其中快攻就占了三十分。」

「嗯。」李明正專心看著影片，這會兒反而是吳定華一直說話，李明正負責聽，與兩人平常扮演的角色完全相反。

「大容陣中除了中鋒之外，每一個人都擁有控球組織的能力，不過這跟大容的快速球風有關，大容基本上沒有太過複雜的戰術，就是一個『快』字，進攻方式就是一次又一次切入禁區與讓人眼花撩亂的空手跑位，因此就算我們封鎖住大容的控球後衛，也沒辦法打亂他們的節奏。」

「嗯。」李明正點點頭，然後從球賽中發現大容確實節奏打得非常快，而且半場進攻模式就只有兩種，突破切入與空手跑位，也因此，裁判哨音響的頻率非常高，大容高中球員站在罰球線上的次數也很多，只不過大容高中沒有把握住多次罰球的機會，整體的罰球命中率只有五成。

「他們的外線怎麼樣？」李明正問。

「外線命中率不高，但是他們在外線出手的次數也非常少，主要還是以切入的進攻方式為主。」

電視螢幕上，大容的後衛與前鋒在德勤的球員把球投出後就往前衝，完全不管中鋒是否有搶到籃板球。大容的中鋒高高跳起，伸出長長的手在人群中搶下籃板球，看似隨意地將球往前場甩，小前鋒追到球，前面完全沒有德勤的防守球員，直接上籃取分。

「這個中鋒很會搶籃板球。」

吳定華點頭，「一場比賽平均可以搶到十五個籃板球。」

「大容有他的替補嗎？」

「有，但是比他矮，搶籃板的能力也比較弱。」

「嗯，大容的防守還不錯。」

「他們身高偏矮，如果以二三區域聯防，對位上很不利，所以防守很主動積極，半場包夾防守來得很快。」

「這就考驗我們球員的運球能力了，不過快節奏的進攻模式與包夾防守，體力很快就消耗光了吧。」

「他們先發加替補球員總共有十二名。」

李明正摸摸下巴，「這麼多啊。」

李明正拿起電視遙控器，按下停止鍵，把光碟退出來。

吳定華驚訝道：「你不看了？第一節都還沒打完。」

「我剛剛已經從你口中聽到我需要知道的一切，那就沒必要再看了。」李明正站起身，把光碟還給吳定華，「你也真厲害，竟然把大容研究得這麼透徹。」

吳定華說道：「不是我，是信哲，我剛剛說的都是他寫在筆記本上的。今天早上如果不是在球場上遇到包大偉拖到時間，本來是信哲要面對面告訴我他的心得，不過因為早自習時間到了，他要趕著上課，所以就給我看他寫在筆記本上的內容。」

「信哲這個助理教練，做得真的很棒，葉流氓眼光不錯。」李明正問：「今天不是不用練球嗎？怎麼會遇到大偉？」

「他對自己的球技產生了疑惑，所以早上自己跑來球場練球。」

「是嗎，後來呢？」

「我就叫他把自己能做的事做到最好，後來又教他葉流氓之前練快攻的方法，就這樣。」

李明正輕笑了幾聲，「他在球隊的定位確實跟當初的葉流氓很像，只不過個性卻南轅北轍就是了。最後怎麼樣？」

「看樣子他應該好多了。」

李明正點點頭，「那就好，球隊裡每個球員個性都不太一樣，包大偉他就是那種你需要給他明確的方向才不會疑惑的人。我喜歡這種球員，因為一旦他們擺脫了心裡的疑惑，知道自己的方向之後，常常會有令人意想不到的成長。」

「我也這麼覺得，我很喜歡包大偉這個球員，打球很認真。」

「是啊，就個性方面，他倒是讓我看到從前的你。」

吳定華揚起眉毛，「我當年有這樣嗎？」

「當然有。」李明正拍拍肚子，「好了，肚子裡的東西消化得差不多了，說起當年，你也算是球隊裡的一號人物，趁今天這個機會，讓我看看你的身手還在不在。」

吳定華臉垮下來，「你要累死我不成，今晚球隊還有練習。」

「我們是教練又不是球員，站在那邊指揮就好，別找藉口了，再不動一動，你的肚子都團結成一塊了。」

吳定華咕噥著：「不只一塊，早就變成一球了……」

第九章

放學後，球員們早在集合時間前半個小時就抵達籃球場，在球場上練球，一直到六點五十五分，李明正、楊信哲、吳定華抵達球場後才放下手上的球，在三位教練面前站好。

李明正看著球員汗流浹背的模樣，臉上勾起笑容，「很好，看來你們都準備好了，直接開始跑十圈！」

「是，教練！」

李光耀一馬當先往前衝，其他球員不甘示弱地跟上去，一開始五圈沒有人落後，不過之後體能的差距就顯現出來，謝雅淑、麥克、包大偉、王忠軍、詹傑成只能看著李光耀、高偉柏、魏逸凡、楊真毅的背影離自己越來越遠。

楊信哲看著碼表顯示的時間，「球員跑步的速度越來越快了。」

李明正說：「很好，體能是一切的基礎，體能上的進步，代表我們球隊整體的實力也都在進步，更代表著球隊還有很多進步的空間。」

李明正轉頭看向吳定華，眼裡帶著惡作劇的微笑，「你說是吧？」

吳定華忍著一拳狠狠揍向李明正笑臉的衝動，逼自己也露出微笑，「是啊。」

楊信哲看著李明正臉上詭異的笑容，還有從剛剛遇到吳定華就發現他有些僵硬不自然的動作，心想這兩個老頭是幹嘛了。

其實他們兩個也沒幹嘛，只是早上李明正把吳定華從沙發上拖起來，到庭院的籃球場打了整整一個小時的球，吳定華回家午睡一下，起床後就全身肌肉痠痛而已。

球員跑完步之後，趁著休息喝水的空檔，李明正對球員說道：「後天的對手是大容高中，大容高中球風非常快速，以突破切入、空手跑位、快攻為主要攻擊手段。大容平均身高雖然比我們矮，但半場包夾防守來得很快，所以要注意球的流動。除此之外，大容攻防轉換的速度非常快，中鋒一搶到籃板球大容就直接開始快攻，所以我們下一場比賽攻勢主要集中在禁區，如果能在上半場就造成中鋒的犯規麻煩，那這場比賽我們就贏了一半，不過如果有快攻的機會，也不需要對大容客氣。防守方面，整場比賽都使用二三區域聯防，防守上要溝通好，後衛不要隨便就被突破，禁區也要注意不要被開後門。」

「是，教練！」

「很好，今天的練習項目跟平常一樣著重在防守，你們準備好了嗎？」

所有球員齊聲大喊：「準備好了！」

★

苦瓜與蕭崇瑜站在向陽高中的室內球館內，身旁架設了錄影器材，正對著球場上的向陽高中球員錄影。

數十名向陽高中的球員滿場奔跑，在場邊的教練指示下，不斷變換訓練項目，每個球員的臉上都充滿著自信與堅定的神色，對教練的指示沒有絲毫的猶豫，反應快速。

單就球隊的紀律來看，向陽高中無疑是一支訓練有素的球隊。

蕭崇瑜看著場上，雖然不情願，卻也不得不承認，「好厲害。」

苦瓜嗯了一聲，「當然厲害，長年稱霸乙級聯賽的向陽高中，早就被外界認為具有甲級聯賽的實力，尤其這次有機會晉升到甲級聯賽，球隊從上到下都抱著一定要拿到冠軍的決心。」

蕭崇瑜皺起眉頭，喃喃說：「以現在光北的實力，打不贏啊……」

苦瓜沒有說話。

一位身穿著 POLO 衫的中年男子此時走向苦瓜與蕭崇瑜，脖子上掛著哨子，臉上掛著自信的微笑，「兩位主編辛苦了，需不需要喝個水？」

苦瓜露出禮貌性的笑容，「不用，謝謝顏總教練。」

向陽高中的顏總教練站到苦瓜身邊，「兩位主編看了我們的練習內容，有什麼樣的感想嗎？」

苦瓜說：「向陽的硬體設備非常齊全，比我想像中的好很多，比起許多甲級的球隊來說有過之而無不及，球員的素質也都非常出色，就我來看，向陽在乙級聯賽基本上已經找不到對手了。」

顏總教練臉上出現滿意的笑容，「向陽高中早就具有甲級的實力，只是欠缺一個機會而已。」

苦瓜拿出手機開啟錄音功能，「外界普遍看好向陽會拿下這次乙級聯賽的冠軍，不知道這是否會對向陽造成壓力？」

顏總教練輕笑幾聲，「事情都有正反兩面，壓力是負面的，但壓力的另一面就是動力，我們把外界的期望視為動力，推動向陽前進。」

「可不可以請顏總教練跟我們分享，除了乙級聯賽的冠軍之外，向陽還有沒有其他想要達成的目標？」

「向陽是很務實的球隊，進入甲級聯賽後，我們並不會想要一步登天。當然能拿到好的名次是一件值得開心的事情，不過首重是先習慣甲級聯賽的強度，站穩腳步。」

「請問顏總教練，現在向陽的假想敵是哪幾間學校？」

「榮新、東台、東屏這三間學校。」

「為什麼？」

「這三間學校的球風跟我們相近，而且也都是傳統的強隊。」

「這三間學校近幾年的成績都非常不錯，尤其東屏還是上一屆甲級聯賽的亞軍。除了甲級聯賽的球隊之外，就顏總教練你的觀點來看，乙級聯賽有沒有讓你特別注意的球隊？」

顏總教練思考了一會，搖搖頭，「沒有。是有幾支滿有趣的球隊，不過實力上與向陽相比，還是有滿大的差距。」

苦瓜笑了幾聲，「看來顏總教練對乙級聯賽的冠軍是勢在必得，心思已經在準備甲級聯賽上了。」

顏總教練露出得意的眼神，「是的。」

「就顏總教練個人的看法，向陽的實力在甲級聯賽可以排到什麼樣的位置？」

「大約中間吧，不過球賽裡的不可預料因子很多，每一支甲級的球隊都不容忽視。」

「請問顏總教練，若是未來順利打進甲級聯賽，有沒有為球隊設下甲級聯賽的中遠程目標？」

「你這是在向陽已經在甲級聯賽站穩腳步的前提下嗎？」

苦瓜點頭，「是。」

顏總教練語氣沉重：「那當然是冠軍了。在體育競技這個領域，只有冠軍是贏家，其餘都是輸家，向陽只想當贏家，只不過……」

「只不過？」

顏總教練意味深長地看了苦瓜一眼，「你我都知道這個『只不過』的意思，就不用再多說了吧。」

「我了解了，謝謝顏總教練。」

苦瓜知道，顏總教練知道，全台灣有在看高中籃球的人都知道，想要拿到甲級聯賽的冠軍，就必須推倒啟南高中這道高聳的城牆。

一座由二十座金盃、九座銀盃所堆砌起來的閃亮城牆。

當天，苦瓜與蕭崇瑜將向陽的訓練完完整整地紀錄下來，蕭崇瑜至少拍了兩百張照片，苦瓜也訪談了向陽高中的五名先發球員，一直到晚上，苦瓜委婉拒絕顏總教練宵夜的邀約後才離開向陽高中。

在國道一號往台北的歸途上，蕭崇瑜一臉悶悶不樂，苦瓜則把座椅調到最低，在車內點了一根菸。

「臉那麼臭幹嘛？」

蕭崇瑜像是阻塞已久的水管，突然被水電工清通一樣，心中的鬱悶一次性地爆發出來。╲「苦瓜哥你不覺得向陽的總教練太囂張了嗎，乙級聯賽才開始沒多久，竟然就在想甲級聯賽，把乙級聯賽其他辛苦打拚的球隊放在哪裡，一點尊重都沒有，到時候如果意外落馬臉就丟大了！」

苦瓜哈哈大笑，蕭崇瑜則是一臉不爽，「有什麼好笑？」

「你這樣不行，剛剛我們在向陽的身分是編輯，要保持客觀，可是你一看到向陽的室內籃球場跟練球情況，整個人就散發出不對勁的氣氛，你這樣是寫不出好報導的。」

蕭崇瑜張了張嘴，卻說不出任何反駁的話。他知道苦瓜說的是對的，剛剛是在工作，而自己的身分是編輯助理，就該做好自己的事。

蕭崇瑜深深吸了一口氣，「是，苦瓜哥，對不起。」

苦瓜吸了一口菸，瞄了蕭崇瑜一眼，臉上掛著理解的笑容，「你也中了光北的毒了。」

蕭崇瑜嘆口氣，誠實地點了點頭，「更準確來說，我已經成為王忠軍的球迷了。他的三分球讓我開了眼界，讓我知道以他那種身材，依然可以靠三分球在球場上成為不容忽視的角色。一直以來，長的高、手長、爆發力好的球員在籃球場上有天生的優勢，可是王忠軍的三分球卻好像是對這種情況宣戰，實在讓我著迷不已。」

「王忠軍嗎……他確實是個令人印象深刻的球員。」苦瓜把菸蒂丟進寶特瓶中，菸蒂與寶特瓶殘留的水相觸的瞬間，發出嘶的一聲，「別擔心，如果光北可以一步步往前走，那麼向陽也會越來越重視光北，只不過你我都看得出來，現實就是光北目前並不是向陽的對手。」

蕭崇瑜說：「不過我相信那只是現在，只要再給光北多一點比賽經驗，多一點時間，光北的成長絕對會超乎我們的想像。」

苦瓜臉上露出微笑。

「當然。」

★

晚上十點，光北高中籃球場。

球員結束三個小時的訓練，累得坐在地上喝水休息，一邊整理背包，一邊與夥伴討論今天練習的心得。

場外，李明正、楊信哲與吳定華正小聲交談著。

李明正看著楊信哲拿來的錄影機，有些不放心地問：「都錄下來了嗎？」

楊信哲拍拍胸口，「當然，我辦事你放心。」

李明正點頭，心想楊信哲扮演助理教練的角色到現在確實沒讓他失望過，「好，弄成光碟，我這幾天會找她過來談一談，留在光北，太虧待她了。」

「需不需要我先打過去靜美知會一下？」吳定華說。

「先不用，讓我問問她本人的意思。」

★

光北球員搭著專車抵達綜合體育館，下了車之後，在教練的帶領下，球員們魚貫走進球館內。

一踏入球館，還沒看到籃球場，吆喝聲與拍球聲就鑽進光北高中一行人的耳朵裡。

大容高中已經早一步抵達球場，進行熱身了。

聽到球場傳來的聲音，光北高中每個球員都興奮不已，大夥腳步加快，把教練團遠遠拋在腦後。

抵達籃球場後，幾個人飛快地從旁邊拿起大會準備的籃球，迫不及待地上場練投。李光耀率先投出第一球，唰一聲，球空心入網。

「Yes，我第一個把球投進，我贏了！」

謝雅淑長長的頭髮綁成馬尾，隨著跑步的節奏左右晃動，從右邊的三分線運球上籃，打板把球投進，「哼，我第一個上籃得手，我也贏了！」

高偉柏大大哼了一口氣，吸引眾人的注意，單手抓著球，從三分線衝刺，在籃框前奮力跳起來，單手把球塞進籃框裡，發出了重重的聲響。他看著李光耀，似乎在說球隊裡會灌籃的不只有李光耀一個人。

「贏的是我！」

高偉柏把球灌進之後，一顆球遠遠地飛來，劃過美妙的拋物線，不偏不倚地在籃框中間落下，激起了無比清脆的聲音。

李光耀回頭一看，發現王忠軍站在三分線後，右手還維持著出手的姿勢，似乎利用這無比自信的姿勢對他說，贏的人，是我才對！

麥克看著李光耀、高偉柏、王忠軍、謝雅淑在場上較勁，心裡也跟著興奮起來，不過把球投進籃框並不是他的強項，所以他沒辦法跟他們比拚，只能跑到籃框旁邊，準備抓隊友練習時沒投進的球，當個臨時的撿球員，順便以這種方式練習搶籃板。

楊真毅、魏逸凡、詹傑成、包大偉沒有加入場上較勁的行列，在場外兩人兩人一組，互相拉筋暖身。

「大容的球員都不高，不過看他們健壯的小腿肌，切入的速度應該很快。」詹傑成皺起眉頭，防守並不是他的強項。

詹傑成坐在地上，雙腿打開，雙手放在地上往前伸，包大偉雙手用力壓在他背上，把詹傑成的身體往下壓。

包大偉言語中有著自信，「快是快，但是比賽開打後才知道到底有多快。」

詹傑成說：「我防守沒你好，大偉……小力一點……」

包大偉理都不理，嘆了一口氣，「你怎麼筋還是這麼硬啊。」

「我哪有辦法，這是天生的啊。」詹傑成咬緊牙根，忍受雙腿傳來的痛楚。

「不要閉氣，深呼吸，把注意力放在調節呼吸上，就不會這麼痛了。」包大偉提醒，手上的力道再加大。

「痛的人不是你，當然可以說風涼話，你壓小力一點，我就可以調節……呼……吸……了。」詹傑成整個臉漲紅，青筋都爆出來了。

「才三十秒而已你就受不了，真是的。好好好，再五秒就好。」包大偉數著：「五、四、三、二、一。」

包大偉鬆開壓在詹傑成背上的手，詹傑成馬上深呼吸幾口氣，三十幾秒的拉筋，就讓詹傑飆出一身汗。

詹傑成抱怨，「你下次小力一點好不好，痛死我了。」

包大偉聳聳肩，「我可是為了你好。」

詹傑成拍拍大腿，國中開始就發現自己的筋比一般人硬的詹傑成，感到十分無奈。

「等一下我控球，他們一定會包夾，到時候要做好接球的準備。」

包大偉大力點頭，「當然。」

另一邊，魏逸凡與楊真毅也一邊互相幫忙拉筋，一邊交談著。

「看來看去，大容的內線高個真的只有一個，難怪教練要我們主打禁區。」楊真毅雙眼觀察在場上練習的大容高中球員，「每個人都不怎麼練習外線，不過切入速度跟爆發力都很不錯，真是一支有趣的球隊。」

魏逸凡則專心地暖身，沒有去看大容的練習情況。

「你今天打算怎麼打？」魏逸凡問。

「他們的大前鋒跟小前鋒都比我矮，而且教練說了，他們採用半場包夾防守，我一拿到球他們一定會有兩個人包夾，如果包夾防守的是後衛，那我就把球傳給外線有空檔的人，如果是大前鋒或中鋒，就把球交給你，讓你去解決。」

「你不打算自己打？」

「我覺得遇到包夾，最有效率的方式就是把球傳給有空檔的隊友，而且在禁區要造成中鋒的犯規，你的身材跟打法比較適合。」

「是這樣沒錯，不過你把這個責任丟給我，也太偷懶了吧。」

楊真毅聳聳肩，「我覺得這樣對我們比較有利。」

「才怪，是對你比較有利，你打起來輕鬆多了，累的是我，太不公平了。不行，我們今天比誰得分最多，輸的人到時候去河堤練球要多跑折返跑，如果我得二十分，你得十六分，你就要多跑四趟折返跑。」

楊真毅嘖了一聲，「一定要這樣子嗎，用最輕鬆的方式贏球不是很好？」

魏逸凡拍了楊真毅的手臂一下，「是你輕鬆，我可不輕鬆。」

「好吧，一言為定。」

★

叭——！

比賽即將開始，在裁判的手勢示意下，光北與大容的先發陣容站到場上。

光北先發，後衛，詹傑成、包大偉；內線，魏逸凡、楊真毅、李麥克。

大容方面，擺出了一大四小的陣容，除了中鋒之外，只有大前鋒的身高超過一百八十，但也只是一百八十出頭而已，平均身高比起光北，矮了五公分以上。

光北與大容兩邊的球員圍繞在球場中間的圓圈，麥克與大容的中鋒站好位置，雙眼緊盯著裁判手中橘紅色的籃球。

哨音一聲，裁判將球高高拋起，就在這個瞬間，大容的中鋒怒吼一聲，把麥克嚇了一跳，彈跳的時間點因此慢了一步，大容的中鋒順利把球往後撥。

大容的小前鋒搶到球，毫不猶豫往前場衝，詹傑成五人知道大容球風很快，馬上到後場站好位置，擺出二三區域聯防，而且防守圈縮得很小，包大偉與詹傑成都站到三分線後，完全沒有要防守大容外線的企圖。

大容的球風在乙級聯賽非常有名，對手利用縮小防守圈的方式想要阻止他們的切入也不是第一次採用的戰術，所以大容早已習以為常，按照平常練習的模式開始進攻。

小前鋒看了對位的詹傑成一眼，身體一壓低，馬上往左切，詹傑成沒想到大容一次導傳都沒有，就這麼直接發動攻勢，心裡沒有做好準備，馬上就被小前鋒突破。

魏逸凡看到小前鋒切入，立刻站前一步補防，小前鋒沒有勉強硬切，馬上把球往旁邊傳。

光北的球員目光隨著球移動，看著大容的得分後衛不知何時從中路空手切到禁區，接到球，身前沒人防守，麥克撲過去時已經來不及，得分後衛像是練習一樣在罰球線前一步拋投。

得分後衛球拋得很高，精準落在籃板中間的方型框框，然後彈進籃框裡。

大容高中率先得分，比數，零比二。

球進之後，大容的板凳球員紛紛站起來，表情興奮，在場邊大叫：「好球！」、「漂亮！」、「空手切的漂亮！」

李明正則是在場邊大喊：「防守要說話，不要漏人！」

魏逸凡把球撿起來，站到底線外，把球傳給詹傑成。詹傑成面無表情，但心裡的怒火開始燃燒，比賽才開始不到十秒鐘就因為他被小前鋒突破，造成大容率先得分且氣勢大增，根本就像是大容在對他說：，「我們完全沒有把你的防守放在眼裡。」

詹傑成看著隊友已經跑到前場站好位置，把球運過半場，而右腳才踏進前場，大容的控球後衛與得分後衛的包夾防守馬上過來。

詹傑成立刻把球傳給站在三分線，沒人防守的包大偉，包大偉手放在胸前，也做好了接球的準備，但大容的小前鋒是鬼魅一樣從底線衝出來，眼明手快地把球抄走，本來在包夾詹傑成的得分後衛與控球後衛也馬上往前場衝。

詹傑成反應過來時已經來不及，後場完全沒有人防守，大容的小前鋒一條龍上籃得分，比數零比四，大容的速度實在快得驚人。

大容的板凳區再次傳來歡呼聲：「抄的好呀！」、「上籃漂亮！」、「就這樣打垮光北吧！」

此時，光北的板凳區也傳來叫喊聲；「詹傑成，你在幹嘛，傳那什麼球啊，你是笨蛋啊！」詹傑成聽到謝雅淑的話，整個怒火都快爆發了，不過謝雅淑接下來說的，卻好像一盆冷水，瞬間把詹傑成的怒火澆熄，讓詹傑成整個冷靜下來，「他們就是因為防守爛才要用包夾啊，以你的運球技術根本不需要把球傳出去，他們根本就守不住你啦，你看不出來他們是騙人隊是不是，包夾防守只是拿來騙人的，如果不是防守太爛，幹嘛用半場包夾防守，真正防守好的球隊，早就用全場包夾了！

「你給我冷靜一點，如果再發生一次這種白痴才會出現的失誤，我就要你好看！」謝雅淑大聲罵完之後，一屁股坐在椅子上，重重哼了一口氣，然後吳定華與李明正心中不約而同地出現一個疑惑。

「怎麼她比我們還像教練？」

包大偉跑到後場，接下詹傑成的底線發球，然後把球傳回給詹傑成。

「抱歉，剛剛是我的錯，我應該跑去接應。」包大偉道歉。

「不，是我的錯，我太大意了。」在謝雅淑剛剛一席話之後，詹傑成整個人冷靜下來，緩慢地運球，右腳踏過中線的瞬間，大容的控球後衛與得分後衛又衝了上來，這一次包大偉不敢離詹傑成太遠，而且眼睛注意著身邊是否有大容的球員又要抄球。

此時，冷靜下來的詹傑成，把剛剛的傳球失誤、防守被突破全部丟到一邊，眼睛裡所看到的世界變得更寬廣，也因此他看到一般控球後衛看不到的地方，也做了一般控球後衛不會做的事。

詹傑成收球，跳起來，雙手把球用力甩向在禁區把大前鋒死死卡在身體後面的魏逸凡。

魏逸凡一接到球，下球，利用厚實壯碩的身體撞進籃下，大前鋒身材比不上魏逸凡，根本擋不住他，大容中鋒這時補防過來，不過魏逸凡絲毫沒有任何猶豫，在大容中鋒與大前鋒面前把這一球放進籃框。

比數，二比四。

「這就對了嘛，這才是我平常認識的你啊！」謝雅淑在場邊對著詹傑成得意地大喊。

詹傑成聽到謝雅淑的聲音，回頭朝她比了大拇指。

球權轉換，大容高中的小前鋒很快運球過半場，知道詹傑成的防守腳步比較慢，再次挑上詹傑成做攻擊的目標。

小前鋒重心壓低，往右邊切入，憑藉著速度上的優勢，再次突破詹傑成的防守，不過因為光北防守圈縮得很小，所以楊真毅很快就站在小前鋒面前，擋下小前鋒。

小前鋒感受到楊真毅散發出來的壓迫感，放棄繼續切入的念頭，眼角餘光發現控球後衛從外線空手跑進來，馬上把球交給他。控球後衛一拿到球就想直接切入禁區，但光北的禁區卻有兩個高大的內線球員，四隻手高高舉起，讓他連籃框都看不到，強大的壓迫感讓控球後衛感到膽怯，馬上把球傳給外線的得分後衛，重新開始一次進攻。

得分後衛面對包大偉，身體一壓低，向左切入想要突破防守，但包大偉卻踩住了得分後衛的進攻路線，讓得分後衛又退到三分線後面。

這時大容的板凳區傳來大吼聲：「進攻時間快到了！快點出手！」

大容的得分後衛往右邊切入，但是再次被擋下來，隊友的跑位又因為光北的防守圈縮得很小，沒有很好的機會。得分後衛沒辦法，只能在三分線外出手。

得分後衛一出手，本來就狹小的禁區因為擠入了四個長人而顯得更加擁擠，麥克、魏逸凡、楊真毅三個人圍在大容的中鋒身邊，大容的中鋒一次承受來自於三人的壓力與碰撞，孤立無援的他，只能眼睜睜看著這一顆籃板球被一隻黑色的大手抓走。

麥克抓下籃板球，落地後按照李明正平常所教的，用雙手與身體好好保護住球，冷靜地尋找球隊的後衛，確認詹傑成附近沒有虎視眈眈想要抄球的大容球員，才放心地把球傳給詹傑成。

詹傑成一接到球馬上往前場衝，踏過中線時大容的球員才剛回防，控球後衛與得分後衛馬上包夾上去，不過詹傑成趁對方防守還沒有到位的狀態下，硬是往空隙比較大的左邊邊線切入。

大容的兩隻後衛馬上跟上去，想將詹傑成逼到邊角，讓他沒有任何閃躲與運球的空間，但是就在他們這個念頭浮現出來的時候，詹傑成左手單手把球傳給禁區的楊真毅。

楊真毅接到球，面對身高比自己矮小的小前鋒，靠在小前鋒身上，運球切入禁區。

大容防守一如往常，大前鋒放下自己對位防守的魏逸凡，過去包夾楊真毅，若是平常的楊真毅，看到魏逸凡有空檔一定會選擇傳球，但是賽前他與魏逸凡的約定，讓他把球繼續留在自己身上。

楊真毅收球轉身，做了一個投球假動作，大容大前鋒與小前鋒雙雙被騙起來，楊真毅靠在小前鋒身上，嗶的一聲，場邊裁判哨音響起，楊真毅順勢把球投出。

「大容十五號，阻擋犯規！」裁判說話的同時，球打板彈進籃框，「進算，加罰一球！」

「好球！」場邊的謝雅淑大聲喝道，給了楊真毅一個大姆指。

楊真毅隨後把握住罰球的機會，完成三分打。

比數，五比四，光北超前比分。

只不過大容沒有讓這個情況維持太久，中鋒拿球站到底線外，用力把球往前甩，得分後衛與小前鋒已經跑到前場，光北反應不及，被大容打了一個措手不及的快攻。

比數，五比六。

而這樣的開局，讓觀眾席上的蕭崇瑜大大皺起眉頭。

「苦瓜哥，光北怎麼這場比賽打的這麼辛苦，平常的節奏沒有打出來，也沒有守住大容的快攻，甚至還出現很要不得的失誤。」蕭崇瑜滿臉失望，單眼相機拿在手上，完全沒有拍照的欲望。

苦瓜一樣喝著熱騰騰的黑咖啡，臉上沒有表情，「李明正都不擔心了，你在擔心什麼。」

「可是今天光北的表現完全就是荒腔走板啊！」

「別激動，靜靜看球賽，如果光北是一支值得我們去期待的球隊的話，就會想辦法突破現在的僵局，而且球賽才剛開始，光北在之前的比賽從未遇到像大容這種快速球風的球隊，一時間難以適應也是正常的。」

聽苦瓜這麼說，蕭崇瑜才冷靜下來，拿起手上的相機，對準正在運球的詹傑成，右手食指半按快門，準備拍下詹傑成的特寫畫面，但是在下一個瞬間，詹傑成突然消失在畫面中。

蕭崇瑜放下相機，發現詹傑成不知道用了什麼方法突破了大容的控球後衛與得分後衛的包夾防守，直接切入禁區，絲毫不畏懼身高超過一百九十公分的大容中鋒的封阻，堅決地挑戰籃框。

詹傑成身體在空中與大容中鋒碰撞，他繃緊腰部的肌肉，在空中撐了一下之後才把球投出。

「大容二十五號，打手犯規！」裁判看著在籃框上不斷彈跳的球，舉起的右手隨著球落入籃框而往下揮，「進算，加罰一球！」

聽著裁判的判決，詹傑成沒有馬上站到罰球線上，而是把麥克、魏逸凡、楊真毅拉到自己身旁，「等一下籃板球，靠你們了。」

說完後，詹傑成站到罰球線上，裁判拿著球，看大容與光北的球員在兩側站好之後，吹出短促的哨聲，把球傳給詹傑成，「罰一球。」

詹傑成深呼吸，用力把球投出，瞬間，麥克、楊真毅、魏毅凡衝入禁區，團團圍住大容的中鋒，想要搶籃板球。

場上所有球員的頭都仰著，看著球在空中劃過美妙的拋物線，最後落在籃框後緣，在籃下推擠想要搶下籃板球的禁區球員在這一刻似乎成了傻子，只能眼睜睜看著球遠遠彈開。

詹傑成本來就不想把罰球投進，所以故意用力把球投出，沒想到球竟然遠遠彈離禁區，他著急地想要去拿下這顆籃板球，否則一旦被大容的球員拿到，絕對又是一次輕鬆的快攻。

詹傑成身體才剛動，就發現一道人影從自己身旁竄過去，在球未落地前就把球抓在手裡，這個人正是從三分線衝進來的包大偉。

包大偉一拿到球，運球切往禁區，而大容的控球後衛、得分後衛、小前鋒、大前鋒早就已經等著要衝往前場，讓禁區除了中鋒之外別無他人。

大容中鋒站在禁區，觀察包大偉的動作，現在身邊有三個光北的禁區球員，而包大偉的速度不是特別快，身材不是特別厚實，因此中鋒判斷包大偉有非常高的機率會傳球，但出乎他意料的是，包大偉看都沒看隊友一眼，一個運球後就收球，踏兩步在他面前上籃。

中鋒預測包大偉會傳球，包大偉也預測中鋒認為自己會傳球，所以毫不猶豫地收球上籃。

中鋒跳起來想要封阻包大偉時已經太遲了，時間點沒抓對，右手打在包大偉的手上，而且包大偉早已把球投出，打板進球，場邊的哨音再次響起。

「大容二十五號，打手犯規，進算，加罰一球！」

不到三十秒的時間裡，詹傑成與包大偉兩次積極挑戰籃框，連續造成大容中鋒的犯規，而這個犯規，讓魏逸凡、楊真毅、詹傑成興奮得對包大偉大喊：「好球！」同時也逼大容的教練不得不換下先發中鋒，派出身高矮一截的替補中鋒。

不過換人的不只大容，在李明正的指示下，李光耀上場，換下詹傑成。

李光耀一踏進球場，就以所有人都聽得到的音量大聲說道：「好了，是時候一口氣擊潰對手了！」

包大偉順利把加罰投進，將比數拉開到十比六，光北取得四分領先。

把球罰進之後，光北全隊很快回到後場防守，而才剛上場的李光耀，以籃球場上每一個人都聽得到的音量大聲喊道：「我的隊友們，你們還記不記得我們之前在公園跟一群大叔打的練習賽，他們的跑位默契比我們今天的對手還強，而且外線又準得誇張，比起當初那一群大叔，我們今天的對手不是好守多了嗎？」

李光耀對著身後三個禁區大個子大喊：「放心吧，我跟大偉絕對不會讓後衛切入，不過你們可要守死大容的禁區攻勢。麥克，你是我們的防守核心，你要指揮我們該怎麼防守了！

「讓我們上半場就結束這場比賽吧！」李光耀面對大容高中的得分後衛，擺出了防守架勢。

大容的得分後衛臉色顯露不屑，心想，你這個板凳球員還真敢大放厥詞，好，你可別怪我讓你馬上就在眾人面前丟臉！

得分後衛腦海中的念頭馬上化成行動，運球來到李光耀面前，肩膀一晃，變向換手運球，想要晃開李光耀。

我的crossover（變向換手運球）可是全隊第一快，讓你連我的衣角都摸不到！

得分後衛眼神閃爍自信的光芒，然後這股光芒卻被一道身影給遮掩住，李光耀用身體擋住了得分後衛，伸出右手，從得分後衛手中把球拍走。

得分後衛連忙轉身想要把球撿回來，但轉身的剎那，只看到光北十二號的背影往前衝。

包大偉撿起球，一個人跑快攻，大容只有控球後衛一個人來得及回防。若在平常，包大偉會等隊友都跑到前場，然後把球交給李光耀組織一波攻勢，但控球後衛的身高比他矮，而且他剛剛在大容中鋒防守下順利打了一犯規進算，讓包大偉信心膨脹，眼神冒出堅決，上籃打板得分。

比數，十二比六。

李光耀看著大容的得分後衛，直接說：「你的動作太刻意了，好像在對我說『嘿，我要用 crossover 來過你』，而且你運球時護球的動作並沒有做出來。」

李光耀對著得分後衛搖了搖食指，「這種程度，永遠都突破不了我的防守。」

李光耀發覺得分後衛用力瞪了自己一眼，臉上勾起一抹笑意，膝蓋彎曲，壓低重心，「你可以再試試看。」

得分後衛舉起手，對著現在運球的控球後衛示意，控球後衛皺起眉頭，猶豫一下，還是把球傳給得分後衛。

得分後衛左手拿球，右手在空中揮了揮，意思是叫隊友不要過來幫他掩護。而李光耀雖然沒有任何表示，不過光北也沒有人打算插手這場一對一，這並不是因為包大偉、麥克、魏逸凡、楊真毅討厭李光耀的自作主張，相反的，是因為他們四個人對李光耀的實力，有絕對的信心。

得分後衛下球，幾次試探步後接連胯下運球，肩膀左右晃動，接著突然發動攻勢，運球往右邊切，但是又被李光耀擋下來。

得分後衛很快一個背後運球切左邊，身體用力靠在李光耀身上，想要直接硬切禁區，而這種強硬的切入就算沒辦法順利得分，在乙級聯賽的尺度範圍內，裁判通常也會給一個阻擋犯規。

李光耀似乎發現裁判準備吹哨，身體讓開，得分後衛一發現李光耀退開，防守的壓力消失，一個踏步就想要收球挑戰籃框，但得分後衛很快發覺不對，往下運的球，並沒有反彈回到手中。

得分後衛回頭一看，才發現李光耀手裡已經拿著球，一個人往前場衝，儘管運著球，速度卻快到連回防的控球後衛都追不上。

李光耀在罰球線收球，踏兩步，輕鬆上籃得手。

比數，十四比六。

李光耀往後場跑，看著得分後衛，聳肩，雙手一攤，像是在說：「我說過了，你過不了我。」

大容的得分後衛接應控球後衛的底線發球，接著自己運球過半場，看著李光耀，眼中冒著不甘心的怒火，但場邊這時傳來大容總教練的大吼聲：「傳球！」

得分後衛聽到教練的指令，咬牙切齒，不過一切還是要以球隊的勝負做最高考量，縱使得分後衛心裡很不甘心，但也只能選擇把球傳出去。

控球後衛接到得分後衛的球，心裡鬆了一口氣，事實已經非常明顯，李光耀並不是得分後衛可以應付的對手，若是繼續硬打下去，過不了李光耀的防守不說，更嚴重的還可能影響到全隊的節奏，那麼這場比賽就很難打了。

控球後衛右手拿著球，看著已經自動開始跑位的隊友們，目光搜尋跑出空檔的隊友，但是隨著時間一秒一秒過去，他開始感到著急，因為光北禁區的防守變得非常吵，同時也變得更加嚴密。

「底過、底過！」魏逸凡提醒著麥克與楊真毅。

「人多！上中了，麥克，那是你的！」楊真毅手指著從籃框底下繞到罰球線的小前鋒。

麥克緊張地點頭，馬上站前兩步，重心放低，已經準備好防守小前鋒。

楊真毅喊道：「底線有一隻！」

「好！」魏逸凡馬上退到底線。

控球後衛看著禁區，發現隊友一直跑不出空檔，傳給得分後衛也突破不了李光耀的防守，心裡急了起來，而這時候包大偉上前防守，在三分線前兩步的距離纏上了控球後衛。

控球後衛馬上把球傳出去，將球的控制權交給得分後衛。

得分後衛直接切入，但這一次大前鋒上來幫他掩護，擋下了李光耀的防守。不過得分後衛隨即面對魏逸凡的防守，硬是往右切向禁區，接著把球分給此時從三分線外跑進來的控球後衛。

控球後衛一接到球，眼前一片遼闊，完全沒有人防守，但是當他收球準備上籃時，眼角餘光卻發現一道巨大的黑影飛了過來。

控球後衛嚇了一跳，放球時手指輕微地抖了一下，而這輕微的一抖，造成球的軌道偏移，在籃框上跳了好幾下，最後滾了出來。

黑色身影再次飛起，同時，前面傳來一道喝聲。

「麥克！」在控球後衛出手的瞬間，包大偉就已經往前偷跑，見到麥克抓下籃板球，馬上對麥克大喊。

麥克右手把球往後一拉，將球用力丟到前場，但是用力過度，球從包大偉頭上飛過去，落下後直接飛出場外。

裁判哨音馬上響起，「出界，大容球權。」

麥克看到包大偉跑出去場外把球撿回來，心裡的恐懼與不安又開始冒出來了，包大偉本來可以輕鬆幫球隊添上兩分，卻因為他愚蠢的傳球喪失了大好機會。

李光耀回頭看向麥克，哈哈大笑，「看來你的體力很充沛啊，就這樣繼續把所有的籃板球搶下來吧！」

魏逸凡拍拍麥克的肩膀，「沒事，下次注意一點就好。」

楊真毅拍拍麥克的屁股，「籃板球搶得漂亮！」

「麥克，好球，傳得漂亮，下次我一定會追到球！」包大偉把球交給裁判之後，右手高高比了大姆指，對麥克喊道。

「麥克，沒關係！籃板球搶得漂亮，下一球傳好就好！」場外的謝雅淑對著麥克大喊。

此時，在觀眾席上的蕭崇瑜皺起眉頭，「麥克還是有些畏畏縮縮的，這樣在籃球場上很難生存啊。」

苦瓜手肘放在大腿上，手掌托著腮，「對麥克來說，心理層面確實是他最需要克服的問題，不過我想他應該經歷了一段非常難熬的過去，所以才會變成現在只要一犯錯就會緊張畏縮的樣子，這不是一朝一夕就可以改變的事情。但是你看，光北的球員都已經習慣，也知道該怎麼應付這種情況，不就代表光北實力增強之外，球員們彼此也連結在一起了？況且麥克的進步也是有目共睹，在禁區防守的嚇阻力跟他第一次比賽比起來，有很明顯的改變。」

苦瓜緩緩地說：「專心拍照。」

「是，苦瓜哥！」

在麥克發生失誤之後，蕭崇瑜把焦點放在麥克身上，一連按了幾次快門。

大容的球員發現光北禁區的防守嚴密，很難單靠空手跑位獲得得分機會後，立刻改變進攻戰術，不論是誰持球，內線的球員都會馬上上來單擋掩護，藉此提高切入的成功率，而其他的球員則在一旁伺機而動，一有機會就開後門、空手切入禁區。

光北的防守一時間跟不上大容的步調，被連追了四分，比數十四比十。

然而在第一節結束前的兩分鐘，李光耀與禁區的魏逸凡、楊真毅聯手發動一波十比零的攻勢，把領先的優勢一口氣拉開到十四分。

第一節結束，比數二十四比十。

休息兩分鐘之後，場邊的哨聲響起，裁判很快用手勢示意兩邊球員上場，而光北與大容在第二節比賽一開始，都做了陣容的調整。

大容的總教練派了有兩次犯規的中鋒上場，其他的位置全部換上替補球員。

光北方面，李明正把包大偉和李光耀換下去休息，後場的組合改為詹傑成與王忠軍，禁區方面，魏逸凡與楊真毅維持在場上，高偉柏代替麥克的中鋒位置上場。

高偉柏上場前，李明正把他拉到身邊，「忠軍跟傑成的防守比較弱，補防這方面你要多注意一點。然後我要看到你、逸凡跟真毅三個人一起蹂躪大容的禁區。」

「是，教練！」

第二節一開始，光北的球權。

王忠軍中線發球給站在旁邊的詹傑成，而大容的策略完全沒有改變，詹傑成才剛拿到球，得分後衛與控球後衛馬上衝上來要包夾。

詹傑成早有心理準備，很快把球傳給站在一旁的王忠軍，而光北場上強大的禁區陣容，讓大容的禁區球員不敢隨便離開禁區抄球。

卻給了王忠軍，最好的出手機會。

王忠軍一接到球，也不管自己站的位置離三分線足足有一大步的距離，直接出手投籃。

在大容總教練的眼裡，王忠軍這個出手讓他感到很開心，因為這是一個非常不合理的出手，就算貪心地想要靠三分球拉開比分，但出手的位置離三分線實在太遠，誰都知道出手距離籃框越遠，投籃命中率越低，而且就合理的情況之下，這球應該要想辦法塞入禁區，把他們唯一有能力搶籃板的中鋒逼出場外才對。

大容總教練心想，光北的球員素質真是良莠不齊，有的球員強得不像話，有的卻會緊張得亂出手，這樣也好，該輪到我們打出一波逆轉的攻勢了。

大容總教練的嘴角甚至微微上揚，但是清脆的唰聲，讓他的微笑凍結了。

「王忠軍，好球！」謝雅淑看到王忠軍一上場就投進一顆大號三分球，忍不住站起身為王忠軍喝彩。

王忠軍聽著清脆的唰聲，眼神散發出自信的光芒，對謝雅淑點頭致意後，馬上回到後場防守。

王忠軍投進三分球之後，一口氣把比分的差距拉大到十七分，比數二十七比十。

第二節比賽才一開始，比分就被拉開到十七分，讓大容總教練的表情沉了下來，情緒焦躁起來。不過這個情緒沒有出現太久，臉上又微微勾起笑意，因為他很快就發現光北的兩名後衛球員，是光北的防守黑洞。

詹傑成就不用說了，第一節比賽就被看穿是防守腳步比較弱的球員，而王忠軍的防守也很快就被得分後衛輕鬆突破。

雖然魏逸凡的補防來得即時，但還是被控球後衛拋投得手。

比數，二十七比十二。

球權轉換，詹傑成接過魏逸凡的底線發球，運球過半場，而這次大容不敢包夾詹傑成，深怕放王忠軍大空檔之後，他再次投進三分球。

一發現大容放棄包夾防守，詹傑成馬上展現個人突破能力，絲毫不畏懼控球後衛的防守，猛然壓肩，直接利用速度擺脫控球後衛，把球運到三分線前，傳球給在罰球線左側的楊真毅。

楊真毅一接到球，面對的是比自己矮了五公分的大前鋒，直接往左邊切，一個運球後馬上拔起來跳投。簡單的帶一步跳投，卻很有效率地空心進網，拿到兩分。

比數，二十九比十二。

「光北完全對著大容的弱點在打，如果大容的教練再不下指示的話，這場比賽半場就算結束了。」苦瓜一口氣將提神的黑咖啡喝完，「大容的戰術非常具有攻擊性，但我想在這場比賽結束後，大容的教練組應該要好好思考加強球員的投籃能力，如果大容的球員能投外線，那麼現在的分數絕對不會是這樣，戰術也可以更多元。」

「苦瓜哥，比賽還沒有結束呢，現在才第二節而已，誰勝誰敗還很難說，不是有一句話，『球是圓的』嗎，在比賽結束前，會發生什麼事誰都不知道。」

「說得真好，我會特別記起來的。」苦瓜臉上勾起一抹嘲諷的笑容。

這時大容的得分後衛突破詹傑成的防守，一個傳球假動作騙過補防的魏逸凡，拋投打板得分。

比數，二十九比十四。

在大容球員回防時，場邊的總教練大喊：「積極防守，跟平常練習的一樣，半場包夾，不用怕，有機會就抄球，跑快攻！這是你們的武器，不能輕易放下！」

大容的球員聽到教練的指示，又開始實行半場包夾防守，但是詹傑成非常冷靜，看了無人防守的王忠軍一眼，讓包夾上來的後衛以為他要把球傳給王忠軍，腳步因此慢了幾分，而詹傑成把握住機會，運球突破防守，接著把球塞到了禁區的高偉柏手裡。

高偉柏一接到球，雙手往下一個運球，利用厚實的身材直接把大容的中鋒頂開，在籃板下投籃打板得手。

比數，三十一比十四。

大容高中漸漸發現光北是一支不同等級的球隊。

雖然針對王忠軍跟詹傑成兩個黑洞攻擊，但差距還是越拉越大，大容無法阻止光北得分，不管是禁區強攻，或者是王忠軍的三分球，都讓大容無計可施。

而即使大容後衛過得了王忠軍、詹傑成，但麥克、高偉柏、魏逸凡的補防也會造成麻煩，大大減低大容的切入破壞性。除此之外，大容的中鋒雖然努力又盡力地在籃下卡位，不過一個人難敵魏、楊、高三人的圍剿，搶不下籃板球，大容打不出得意的快攻攻勢，中場前，比分拉開到了二十分。

比數，四十五比二十五。

中場二十分鐘的休息時間結束後，光北的陣容做了大變動，後衛方面，包大偉換下體力較差的王忠軍，禁區方面，楊真毅與魏逸凡休息，李光耀與麥克上場，禁區的組合變成麥克、高偉柏與李光耀。

這場比賽的勝負，就在這第三節分了出來。

第三節比賽一開始，高偉柏就送給切入禁區的得分後衛一記火鍋，李光耀撿到球，直接往前場丟，包大偉跑在所有人之前，追到球，直接兩步上籃得手。

大容想要還以顏色，針對詹傑成做攻擊，但高偉柏與李光耀的補防太快，禁區裡面又有一個麥克，讓大容的攻勢不如第二節順暢。反觀光北的攻勢，卻比前兩節凶猛得多。

包大偉快攻上籃得手後，接下來連續三波的攻勢都由李光耀主導，大容的包夾防守對付不了開啟進攻模式的李光耀，連續三波進攻，兩次跳投，一次上籃，個人連拿六分。李光耀的表現也刺激了高偉柏，在進攻端努力卡位，不斷用手勢、發出聲音示意詹傑成把球傳給他。

詹傑成不負所望，不斷把球塞給高偉柏，讓高偉柏可以利用厚實的身材與進攻腳步把大容的禁區攪得一團亂，連續兩次的禁區強攻除了進球之外，也都造成大容禁區球員的犯規，賺取到加罰的機會。

第三節比賽開始五分鐘，在李光耀與高偉柏的帶領下，光北打出了一波十八比四的攻勢，讓比數來到六十三比二十九的大差距。

之後，李明正換人，李光耀與包大偉下場，取而代之的是魏逸凡與王忠軍。

大容的總教練知道時間所剩不多，叫球員不斷攻擊光北的兩隻後衛，而這個方式奏效，光北的防守在大容不斷地切入之下完全撕裂開來，在第三節最後的五分鐘，大容靠著不斷切入一口氣拿下十五分，但光北當然沒那麼好對付，王忠軍的三分球與高偉柏強攻禁區，也替光北拿下十分。

第三節結束，比數七十三比四十四。

五分鐘過後，第四節比賽開始，大容換上先發陣容，明顯想要搶分，而光北陣容只做了一點小變化，楊真毅代替麥克上場。

第四節陣容，後衛詹傑成、王忠軍，禁區楊真毅、魏逸凡、高偉柏。

在比賽的最後一節，大容的球員在進攻端與防守端都毫無保留地拚盡全力，在近乎瘋狂的努力之下，這一節拿到了驚人的三十分，可惜這並不足以幫助大容拿下這場比賽的勝利。

詹傑成穩住光北的節奏，沒讓大容牽著光北的鼻子走，把攻勢集中在禁區，王忠軍當成外線的牽制，讓大容的防守圈沒辦法縮得太小，就這樣穩紮穩打，第四節攻下了二十分。

叭！

比賽結束。

最後比數，九十三比七十四，光北大勝十九分。

賽後，蕭崇瑜與苦瓜按照慣例，很快從觀眾席移動到籃球場上，分別找上了李明正與大容的總教練。

「林教練，你好，我是《籃球時刻》雜誌社的編輯，請問可不可以跟林教練借一點時間採訪。」苦瓜雙手遞上名片。

林教練右手接過名片，很快掃了一眼，點點頭，「可以。」

苦瓜拿出手機，開啟錄音功能，「去年大容拿下第四名的好成績，今年在外界的預測中，大容也是拿下甲級聯賽門票的熱門球隊，今天卻意外輸給默默無名的光北高中，請問林教練覺得這場比賽球隊的問題主要出在哪裡？」

林教練搖搖頭，「沒有任何問題，我的球員們今天這場比賽把平常練習的成果完全表現出來，我對比賽的內容很滿意。」林教練嘆了口氣，「只不過我們運氣比較差，第二場比賽就遇到光北而已。」

「原來如此，那請問林教練認為今天輸給光北的主要原因是什麼？」

林教練毫不思索地說：「禁區。光北的禁區比我們強大太多，今天我們根本搶不到籃板球，打不出我們擅長的快攻，這點真的太傷。除此之外，光北禁區的嚇阻力跟防守能力都很強，讓我們的球員的進攻效率下滑很多，節奏完全打不出來。」

林教練又嘆了一口氣：「我本來以為在乙級聯賽裡只有向陽擁有這種等級的禁區，沒想到突然跑出一個光北……」

苦瓜心想，擁有魏逸凡、高偉柏兩個甲級前鋒的光北，在乙級聯賽來說，確實在禁區擁有很大的優勢。

「雖然這麼問有些不太禮貌，不過我想請問林教練，你覺得今年哪一支球隊最有可能拿下前往甲級聯賽的門票？」

林教練想也不想地回答：「絕對是向陽高中，除了本身的實力之外，向陽高中投入在籃球的心力也早就達到甲級聯賽的水準，而且他們等待已久的就是這個機會，我相信他們絕對不會讓給任何人。」

「好的，謝謝林教練。」苦瓜關閉手機的錄音功能，向林教練點頭致意後，轉身離開。

但林教練卻叫住苦瓜，「如果以專業編輯的角度來看，你覺得會是誰拿到這張門票？」

苦瓜回頭看著林教練一眼，淡淡地說：「當然是向陽高中。」

話一說完，苦瓜快步走向已經結束採訪的蕭崇瑜，「怎麼樣？」

「今天光北雖然贏球，但李明正表情有點嚴肅，完全沒有開心的模樣。」蕭崇瑜拿出手機，「你聽。」

苦瓜接過手機，毫不猶豫地按下播放鍵。

「李教練你好，按照慣例，我又要借用你一點時間採訪。」

「請。」

「首先恭喜光北擊敗大容高中，拿下乙級聯賽的第二場勝利，尤其大容去年拿下第四名的好成績，能夠擊敗大容，也證明光北在乙級聯賽擁有立足之地。」

「謝謝。」

「在這場比賽之中，光北做了戰術的調整，把禁區當成攻防的重心，與前幾場比賽以壓迫性防守與快速攻擊的戰術有很大的差別，請問是因為大容的球風而做出的調整，還是光北本身正在嘗試多樣化的戰術設計？」

「就這場比賽來說，是為了大容而做的調整。」李明正非常簡短地回答。

蕭崇瑜等了一會，發現李明正沒有繼續說下去的意思，再問：「做出調整是因為李教練認為光北的禁區擁有絕對優勢的關係嗎？」

「沒錯，我是這樣認為的。」

「目前光北主打禁區的四位球員，麥克、魏逸凡、楊真毅、高偉柏，當中有兩位球員都曾經打過甲級聯賽，而且分別是強權榮新與新興高中的先發前鋒，就李教練看來，光就禁區這方面，光北在乙級聯賽是不是已經擁有絕對的優勢？」

「沒有，還差得遠。」回答之後，李明正主動說：「今天到這裡就好。」

「好，謝謝李教練。」錄音到此結束。

苦瓜將手機還給蕭崇瑜，打了一個大大的哈欠，「好了，在附近隨便吃個晚餐就回去吧。」

「是，苦瓜哥！」

光北隊坐車返回學校的路上，楊信哲靠著巴士裡的燈光，將今天比賽的資料很快地整理好，拿給李明正，「這是今天比賽的數據，這裡是球員本身的數據。」

李明正拿過楊信哲遞來的資料，再次為楊信哲高效率的辦事速度感到嘖嘖稱奇，「楊老師，我覺得你在葉校長底下做事，有點大材小用了。」

楊信哲嘆了一口氣，露出苦澀的笑意，「李教練，這個事實你察覺得實在太晚了。」

李明正哈哈笑了幾聲，光北還是跟以前一樣，總是聚集了有趣的人。

李明正先看了比賽的數據，雖然他很專心地站在場邊看了整場球賽，對比賽的內容跟球員的表現心裡都有自己的尺在衡量，但是有了更詳細的數據內容當作依據，可以幫助他更了解現在光北的優缺點，是絕佳的輔助工具。

麥克，兩分，一投一中，二十籃板，一助攻。

魏逸凡，十九分，十三投八中，罰球三投三中，六籃板，兩助攻。

楊真毅，十九分，十五投七中，罰球六投五中，兩籃板，六助攻。

高偉柏，二十分，十投六中，罰球十投八中，八籃板，零助攻。

李光耀，十分，五投五中，沒有任何罰球機會，四籃板，三助攻。

詹傑成，七分，五投三中，罰球一投一中，兩籃板，十二助攻。

包大偉，七分，六投三中，罰球一投一中，一籃板，一助攻。

王忠軍，九分，三分球五投三中，零籃板，零助攻。

李明正看著球員的個人數據，數據底下還有楊信哲的個人註記，包含球員的犯規與失誤次數，還有一些球員在動作上的小習慣，例如麥克搶下籃板球後，總是會把球用力抱在懷裡，像是深怕別人搶走似的；王忠軍最喜歡在左側三分線接球，命中率也最高；高偉柏在禁區投籃前常常會做個假動作，騙取進算加罰的機會……等等。

李明正將楊信哲所記錄的數據表放進自己的側背包裡，捏捏眉心，閉上雙眼休息，心裡微微嘆了口氣，年紀有了，還不到十點就想睡了。

第十章

比賽結束後的隔天早上，李光耀在鬧鐘響前的一分鐘睜開雙眼，右手關掉鬧鐘，坐起身伸了個大大的懶腰。他看了鬧鐘一眼。「剛好四點啊。」

李光耀拖著腳步，揉揉眼睛，走到浴室洗臉刷牙，然後到球場暖身。

早晨的空氣總是特別清新，李光耀深深吸了一大口氣，卻皺起眉頭，鼻子抽動幾下，嘆了口氣：「希望不要下雨。」

李光耀抬頭往天上看去，但是因為太陽還未從東方冒出頭，天空完全漆黑一片，四周除了路燈之外，只有牆上李明正裝設的燈提供光亮，讓李光耀完全沒辦法判斷雲層的厚度。

李光耀非常擔心等一下會下雨，便加快了暖身的動作，很快把時間投入在運球、罰球、投球的練習之中。

不過今天李光耀的擔心是多餘的，雖然空氣中瀰漫著水氣的味道，太陽露臉後也看到天上濃厚的雲層，但是到他結束最後一組帶一步後仰跳投練習之前，都沒有下雨。

李光耀用手指抹去臉上的汗水，進屋沖了個熱水澡，換上清爽的衣服，揹起後背包出門。上次心血來潮幫自己做了早餐，雖然很有成就感，但是實在太麻煩，這次他決定提早出門買早餐。

李光耀跑到住家附近的早餐店隨便買了一個豬肉三明治，在他明確又堅決地拒絕所有愛慕他的女生的追求之後，最近桌上的早餐數量很明顯地減少了，雖然這個情況讓他必須要多跑一段路買早餐，但是對於這個結果他感到非常滿意。

李光耀對愛情的態度跟籃球一模一樣，對於籃球，他的目標就只有「最強」，對於愛情，他心裡也只有謝娜。

李光耀把早餐放進後背包中，開始十公里的路跑。

李光耀抵達學校時距離早自習還有一段時間，於是腳步自然而然往籃球場前進，而在不需要練習的這個早晨，籃球場卻滿是奔跑的人影，李光耀仔細一看，才發現除了他之外，球隊的每一個人都在籃球場上練習著。

詹傑成、包大偉、王忠軍三個人一組，正在練習防守，魏逸凡與楊真毅在一對一單挑，高偉柏則是在教麥克禁區進攻腳步，謝雅淑一個人練習著罰球線左右兩邊的跳投。

謝雅淑第一個發現李光耀，對他大喊：「李光耀，過來，今天我要打敗你！」

李光耀心裡感到無比振奮與開心，快步踏進球場，哈哈大笑，「別傻了，回家做夢去吧！」

★

早自習結束，班導師們回到導師辦公室。

辦公室內，有的老師埋頭批改學生的作業與考卷，有的老師則是與學生聊天說話，有的老師在吃早餐，有的老師在喝咖啡，卻也有一位老師，在忙著吸血鬼校長所指派的額外工作。

楊信哲臉上充滿疲憊，昨天球賽結束，回到家已經接近午夜，而公事包裡卻還有學生的考卷還沒批改完。改完考卷，洗好澡，躺上床，最後一次看手機時，螢幕上顯示的時間是兩點三分。

今天早上起床，翻開棉被時簡直像是要了楊信哲的命，而到了學校還鬧不起來，利用早自習的時間講解學生考卷上最常錯的習題，講到嘴巴都乾了，現在下課十分鐘還要畫啦啦隊的隊服，一點休息的時間都沒有。

楊信哲雙眼非常乾澀，整個腦袋昏昏沉沉，可是他認為事情既然要做，就要做到能力範圍內的最好，而平常教導化學、帶班，還有助理教練這三件事已經把他大部分的時間給填滿，現在他只能利用下課、午休這種瑣碎的時間，盡力把事情做好。

然而，在楊信哲拿出紙筆準備開始畫草圖時，有個女生走到楊信哲身旁。

楊信哲抬頭一看，發現是上次向他詢問過啦啦隊事情的劉晏媜，而她的出現，再次吸引了辦公室內所有男同學的眼球。

「劉同學，請問妳有什麼事嗎？」

劉晏媜指了指自己身後，「上次老師你說要創立啦啦隊不能少於十個人，所以我今天帶了十個人過來。」

楊信哲往劉晏媜身後一看，發現一排男生站在她身後。楊信哲表情很訝異，「你們都是來參加啦啦隊的嗎？」

「是，老師。」十名男同學齊聲回答。

接著劉晏媜向楊信哲介紹這十名男同學，「老師，他是熱音社社長，擔任主唱，站在他旁邊的是鼓手；他是熱舞社的社長，上次在校慶時擔任壓軸演出的就是他，然後旁邊是熱舞社的社員……」

介紹完之後，劉晏媜臉上充滿得意與自信的表情，對楊信哲說：「我相信他們的社團經驗還有音樂與舞蹈上的天分，絕對是啦啦隊成員最好的選擇。如果人數不夠的話，我還可以再找一些人過來，老師你覺得呢？」

楊信哲有些愣住地看著眼前的情況，他覺得幸運女神一定是看到他最近累得睡不飽，黑眼圈都跑出來，於心不忍，所以才派劉晏媜來幫他的忙，不到兩個星期，就解決他之前最擔心沒有人想加入啦啦隊的這個問題。

「夠了夠了。」楊信哲拉開辦公桌的右邊第二層抽屜，點了十張報名表，深怕他們會後悔似的，把報名表塞到十個男同學的手裡，還跟旁邊的老師借原子筆，叫他們馬上填好姓名、班級等等資料。

「目前啦啦隊還在創立階段，沒有固定集合與練習的時間，如果有什麼最新消息，我會馬上通知你們。」

劉晏媜搖搖手指，「老師，不需要，你只要通知我就可以了，我是啦啦隊的隊長。」

雖然這個啦啦隊隊長的身分根本沒經過他同意，但既然啦啦隊成員都是劉晏媜帶來的，加上他根本沒時間處理這件事，楊信哲不敢表示任何意見，在心中舉雙手贊成，點頭稱好，「那就拜託妳了，隊長。」

聽到隊長這個稱呼，劉晏媜滿意地笑了，「當然，老師，有我在，你放心好了。」

楊信哲也開心地笑了，因為這代表他可以不用花費太多精神在啦啦隊上。

楊信哲與劉晏媜臉上充滿著笑意，但劉晏媜是因為有非常好的理由可以接近李光耀而開心，楊信哲則是因為自己省去了一個大麻煩而鬆一口氣，兩個人都不是為了啦啦隊本身感到歡喜。

然而，劉晏媜臉上的笑容很快消失不見，因為她發現辦公室男生的眼神從她身上移到了她身後，而且眼神裡都充滿著愛心與迷戀。

劉晏媜不用想也知道在她後面的人是誰，因為在這所學校，能夠把男生的視線從她身上吸走的女生，只有一個。

謝娜。

劉晏媜轉過頭去，她想親眼看看能夠讓李光耀痴迷的女生長得是什麼模樣。

謝娜手裡捧著書開門走進辦公室，似乎是來找老師交作業。

劉晏媜把焦點集中在謝娜深邃立體的臉上，高挺的鼻子，小巧的下巴，粉嫩欲滴的嘴唇，鵝蛋般的臉型，還有讓她最羨慕的又長又捲的睫毛。雖然劉晏媜很不甘心，但謝娜確實是個非常美麗動人的女生。

謝娜一走進教室就發現有人盯著自己看，雖然她常常被男生偷瞄，已經習慣被注視的感覺，但是男生因為怕被她發現，所以目光通常不會停留在她身上太久，但這次卻不一樣，除了注視自己不放的人是女生之外，這個女生的眼神還帶著一股咄咄逼人的敵意。

這種注視讓謝娜感到不舒服，所以她也瞧了回去，想知道是誰這麼討厭她，而讓她驚訝的是，這個充滿敵意的目光竟是來自一個非常漂亮的女生。

女生的身型高挑，頭髮如同瀑布般披落在肩上，髮尾微捲，髮色黑亮動人，雙眼像是黑夜裡閃爍的星星，迷人得就像漩渦般將人的注意力完全吸進去。而且就算蘊含著敵意，謝娜卻無法否認那是一雙充滿誘惑力的雙眼，配合上又黑又長的眉毛，謝娜完全可以想像男生看到這個女生的雙眼時，一定很快就會迷醉在她的魅力之下。

只是謝娜不懂為什麼這個漂亮的女生會莫名其妙地對自己散發出敵意。

而這個問題的答案，在下一秒就解開了。

劉晏媜大步走向謝娜，「妳就是謝娜對吧，果然是個美女，但是我不會把李光耀讓給妳的。」

劉晏媜話一說完，哼了一聲，直接從謝娜身旁走過，而在打開門離去之前，又說：「對了，我叫做劉晏媜，是李光耀的未來女友。」

★

晚上七點，練習時間。

跟往常一樣，球員們在七點前就抵達了球場，完成暖身，準備好今天的練習。李明正在六點五十五分到達球場，看球員們已經暖身完畢，馬上叫球員開始跑步。

「老實說，光北的球場跟我想像中的有點不太一樣啊。」場邊除了李明正、吳定華、楊信哲之外，還有一個陌生的中年男子雙手交叉放在胸前，饒富興致地看著眼前的景象。

「比你想像中的破舊，對吧。」李明正毫不猶豫地說出口。

中年男子輕笑幾聲，「就我觀察，光北各方面的設備確實不好，但球員的素質卻是讓人垂涎啊。」中年男子以開玩笑的口吻問：「你們還缺教練嗎？」

李明正微微一笑，「只怕靜美不願放人啊，否則我一定要請許總教練來光北助一臂之力。」

此時站在李明正身邊，被他稱為許總教練的中年男子，正是台灣女子甲級聯賽強權靜美高中的總教練。

許總教練看著在跑道上奔跑的球員，「她的體力跟其他球員比起來，並沒有遜色太多，嗯，不錯。」

「她的體力非常好，每一次的訓練都沒有落後過。就我的體能標準裡，她絕對是合格的，我相信以她的體能絕對足以應付女子聯賽的強度。」

許總教練點點頭，目光盯著謝雅淑不放，「差距有些拉開了呢。」

李明正解釋道：「跑在最前面那三個人，其中有兩個之前是新興與榮新的先發球員，所以體能比較好也是正常的。」

許總教練哦了一聲，「原來如此，難怪覺得有點眼熟。那跑在最前面那個呢？」

「是我兒子。」

許總教練瞄了李明正一眼，「看得出來是一個非常天賦異稟、潛力無限的球員，對了，你兒子缺乾爹嗎？」

李明正哈哈大笑幾聲，「許總教練，當我第一眼看到你的時候，我覺得你是一個非常嚴肅的人，但是經過短暫的時間相處，才發現你根本就是個冷面笑匠啊！」

許總教練輕笑道：「沒辦法，不偶爾開個玩笑逗大家開心，我常常因為長相的關係被當成流氓。」

李明正看了一眼許總教練那較為「凶悍」的面容，拍拍他的肩膀，「這些年來，辛苦你了。」

許總教練笑了幾聲，雙方對彼此的陌生，在幾次玩笑與笑聲中很快融化開來。

「對了，雅淑擅長的打法是什麼？」許總教練問。

「雅淑是一個非常聰明的球員，她打球冷靜，而且觀察力很強，在場上表現也很無私，如果她是男生的話……」

李明正篤定地說：「絕對會是我的先發後衛。」

昨天，與大容的比賽結束後，雖然比賽的結果是好的，但李明正卻對比賽的內容非常不滿意，尤其是防守的部分。李明正知道光北是支剛創立的球隊，陣容裡有兩隻甲級等級的前鋒，幾位天賦異稟的球員，球隊的態度認真、士氣高昂，怎麼說都是一件非常值得高興的事情，有很多甲級聯賽的球隊，在草創初期也沒有像光北走得那麼順利，他應該要覺得幸運與感恩。

然而，李明正卻沒有辦法壓下心中的煩躁，因為光北的防守在他看來實在太爛了！

在上一場比賽中，光北外圍的防守弱點完全暴露出來，尤其是剛加入的王忠軍，本身瘦矮的身材已經不利防守，更別提慢吞吞的防守腳步，經驗上更是落後其他的球員一大截，一上場就成為大容球員攻擊的目標。雖然王忠軍擁有光北唯一的強大三分炮火，但是在李明正眼裡，王忠軍的帶來的貢獻還不足以彌補他在防守上造成的傷害。

除了王忠軍之外，詹傑成的防守腳步也還不夠成熟，在與大容的比賽中也常見到詹傑成被單打突破，但詹傑成控制比賽的節奏與令人驚豔的傳球能力，足以掩蓋防守上的弱點，只不過若是到了更高程度的甲級聯賽……

李明正不禁在心中嘆了口氣。

而且除了外圍的防守之外，內線也存在一個很大的問題，那就是麥克。

麥克進步的速度雖然快得嚇人，但心理層面的弱點卻像是一顆不穩定的炸彈，只要一引爆，就會對球隊產生難以預測的影響。

李明正一想到光北防守上的不穩定性，心裡就沒辦法不為接下來的比賽感到憂心，因此今晚球隊練習，李明正著重在團隊防守的練習上，訓練量是平常的兩倍之多，短短的一個小時，體能比較差的王忠軍、詹傑成與包大偉已經臉色發白，體能還算可以的麥克與謝雅淑癱坐在球場上，咕嚕咕嚕地一個勁喝水，而體能較好的高偉柏、魏逸凡、楊真毅則顯得沒那麼誇張，但是也累到大口喘氣，連說話的力氣都沒有。

在所有球員當中，情況比較好的是李光耀，在五分鐘的休息時間裡，他把前一分鐘拿來喝水休息，之後的四分鐘則是拿球站在罰球線上，專心地練習罰球。

李光耀不是不累，正是因為很累，在這種情況下練習罰球，最可以模擬出在比賽第四節最後一分鐘，比分依然膠著的情況下，對手採用犯規戰術時送他上罰球線的情境。

李光耀大口深呼吸，投出第一球，咚一聲，球落在籃框前緣，彈框而出。

李光耀撿起在地上彈跳的球，大口大口呼吸，試著不讓狂跳的心臟與急促的呼吸影響手感，他雙手拿球，運了三下球，認真地看著籃框，吐出一口氣，雙手把球舉起，膝蓋微微彎曲，將球投出。

唰，空心進網。

許總教練看到所有人都已經累到坐在地上休息，李光耀卻繼續練習罰球，轉頭看向李明正，「我可以收回剛剛說的話嗎？」

李明正面露疑惑，「什麼話？」

「要當你兒子乾爹的話。」許總教練搖搖頭，「你兒子根本是怪物，我只是人，沒辦法當怪物的乾爹。」

李明正又因為許總教練奇特的幽默大笑幾聲，「要不要趁休息時間跟雅淑聊聊，了解一下她的想法。」

許總教練馬上點頭，「我也是這麼想。」

李明正走向坐在跑道上休息的謝雅淑，對她招招手，「雅淑，請妳過來一下。」

謝雅淑把寶特瓶裡剩下的水喝完，雙手撐起身體，拖著疲憊的腳步走向李明正。

「教練？」謝雅淑看著李明正微笑的臉龐，臉上露出疑惑的表情。

「雅淑，我跟妳介紹一下，這位是靜美女中籃球隊的許達偉，許總教練。」李明正手放在許達偉的肩膀上，「他今天是特別過來看妳的。」

許達偉對謝雅淑伸出手，臉上帶著笑容，否則他怕天生的流氓臉會嚇到謝雅淑，「雅淑妳好，聽過靜美女中嗎？」

謝雅淑理所當然地點點頭，伸出手與許達偉握手，「當然知道，靜美女中去年拿下女子甲級聯賽的亞軍，前年則是拿下季軍，是台灣數一數二的高中女子籃球隊。」

許達偉滿意地笑了笑，「很好，事情是這樣的，前幾天我收到一個小包裹，包裹裡面除了一封信之外還有一片光碟，我先看了信，可是字跡實在太潦草……」

謝雅淑不由自主地把目光轉向李明正，李明正輕咳幾聲，「信不是我寫的，是助理教練。」

許達偉疑惑地看著李明正，「可是信裡面的署名明明是……」

李明正突然間重重咳嗽幾聲，「許教練，那封信誰寫的不是重點。」

許達偉點頭，「也是。總之，那封信的筆跡非常潦草，但我依稀可以看出寄這封信的人，似乎是請我一定要看那片光碟。一開始我有點害怕，因為信裡面沒有提到任何關於光碟的內容，我擔心是有人想要惡作劇，光碟裡面其實是病毒，我一把光碟放進電腦裡面，裡面十幾 GB 的寶貝們就會突然消失，離我遠去……」

謝雅淑皺起眉頭，表情非常疑惑：「寶貝們？」

謝雅淑心想，眼前這個人真的是靜美高中的總教練嗎，怎麼感覺像是領鐘點費的搞笑藝人……

李明正再次重重咳嗽，「許教練，咳咳，她還是小孩子，咳咳……」

許達偉連忙道歉，「抱歉抱歉，一不小心就離題了，都是李教練害的，他剛剛在場邊淨跟我聊一些有的沒有的。總之呢，我抵抗不了好奇心，所以我想出一個很好的辦法，那就是用附近網咖的電腦看這片光碟，結果當我看完之後，我馬上打電話來光北高中，請他們讓我參觀訓練過程，也讓我看看妳，因為光碟裡面的內容告訴我，妳是一位非常有潛力的籃球員。」

李明正看著謝雅淑，「雅淑，很抱歉，其實我本來是想先跟妳談完之後，看妳自己的意願如何，再衡量是否要把光碟寄給許總教練。可是當助理教練光碟弄好拿給我的時候，我把信跟光碟一起放在桌上，我老婆當天剛好有事要出門，沒有事前問過我，就直接把信跟光碟片一起寄出去了。」

李明正目光溫和地注視著謝雅淑，「其實這件事我之前就想跟妳談了，只是一直找不到機會。雅淑，妳是一個很棒的球員，妳的態度認真，有很多特質是我非常喜歡與欣賞的，比起其他球員，妳在我心中的地位並沒有比較低。如果可以的話，我真的很想將妳排上先發輪替的名單當中，但很可惜礙於規定我沒辦法這麼做。而最近為了準備接下來的球賽，我也不會安排任何友誼賽，所以除了球隊練習的時間之外，我沒辦法讓妳穿上光北的隊服在籃球場上奔跑。妳是一隻羚羊，但光北並沒有適合妳的草原，這點我需要向妳道歉。」

許達偉接著說：「雅淑，我也不多說廢話了，我想邀請妳加入靜美籃球隊，我剛剛在場邊看了妳練習的情況，老實說，李教練今天給與的練習量連我在旁邊都覺得想吐，可是妳卻完全沒有喊累，而且每一項練習都紮紮實實地完成。妳用表現對我證明了妳的能力，而我能夠給妳的，就是一個可以讓妳自由奔跑的大草原。上一屆的聯賽裡，我們在冠軍賽很可惜地輸了，而今年三個先發球員一起畢業，老實說對我們的戰力影響很大，但是今天看到妳之後，我認為只要妳願意到靜美來領導球隊，我們今年還是大有希望。」

李明正看著謝雅淑，「我知道事情發生得有點突然，妳今天回家之後好好想一想，不管妳做什麼決定教練都支持妳，也可以跟父母好好談一談，這是一個會影響妳未來的決定。」

許達偉又補充道：「只要妳願意來靜美，我可以為妳申請到全額的獎學金。如果妳的家人擔心升學這個問題的話，請他們放心，只要妳好好打球，擁有女子籃球隊的國立大學絕對會對妳敞開大門，提供妳保送名額，到時候我也會親自寫推薦信，幫妳找到最適合的學校。」

李明正與許達偉所說的話，如同一顆重磅炸彈，把謝雅淑炸得腦袋一片空白，心裡面突然湧出很多情緒，卻沒辦法用言語表達。她張開嘴巴，舌頭卻好像打了死結，一個字都說不出口。

李明正看到謝雅淑的模樣，拍拍謝雅淑的肩膀，露出溫和的笑容，「事情太突然了，沒關係，妳這幾天好好想一想，有什麼話想說，有任何問題想問，都可以找教練談。」

★

謝雅淑望向窗外，看著藍天白雲與飛鳥，聽著麻雀吱吱喳喳的聲音，心裡不斷迴盪昨天李明正與許達偉所說的話。

在昨天練習結束回到家洗完澡之後，謝雅淑仍然心亂如麻，她完全可以感受到李明正是真誠地為她接下來的路著想，許達偉也提供了難以令人拒絕的條件，而且在她睡覺前，她上網查了靜美高中的資料，這才發現靜美的隊史成績比她想像中輝煌許多，除了去年亞軍與前年季軍之外，靜美在過去十年裡奪得了兩次冠軍，而且叱吒台灣職業女籃的球員當中，有很大部分都是靜美的校友。

帶領擁有如此輝煌成績的靜美的許總教練特地南下看她打球，最後還以非常優渥的條件希望她加入靜美，照理來說她應該開心得飛上天，可是連謝雅淑自己也意外的是，比起開心，更多的是猶豫不決與煩惱。

謝雅淑輕嘆一口氣，看著在枝頭跳躍的麻雀，心裡默默想著，麻雀啊麻雀，你們如果聽到我的煩惱，可不可以現在飛到我身邊，悄悄地在我耳邊告訴我該怎麼做才好呢？

謝雅淑甚至閉上雙眼，希望睜開雙眼的下一瞬間，麻雀就會告訴她該怎麼做。

而在謝雅淑閉上雙眼的瞬間，她感覺到肩膀被點了兩下，謝雅淑高興得馬上睜開雙眼，但是出現在自己眼前的不是麻雀，而是老師的怒容。

老師強忍著怒氣，「謝雅淑同學，老師剛剛已經叫了妳好幾次，妳都沒有聽到嗎？」

謝雅淑發現全班的目光都集中在她身上，想必她剛剛一定是想到出神了，溫熱的感覺馬上從臉龐一路爬到耳朵，「老師，抱歉，我剛剛沒注意到。」

老師深吸一口氣，手指著黑板，「告訴我，這個問題的答案是什麼？」

謝雅淑瞄了黑板一眼，連想都不想，直接說：「不知道。」這時她才發現，原來已經是第二節的歷史課了。

老師再次深吸一口氣，「起立，妳給我站到下課！」

謝雅淑自知理虧，低著頭，默默站起來。

歷史老師轉過身，走回講台上時，碎碎唸著：「女生學男生打什麼籃球，搞得現在這樣，上課也不專心，真是……」

若是平常的謝雅淑，絕對會因為老師的碎碎唸而怒火狂飆，甚至毫不畏懼地直接對老師嗆聲，可是現在謝雅淑的心裡充滿著讓她感到無比繁雜的聲音，根本沒注意到歷史老師的碎唸。

下課鐘響，歷史老師離開教室，而教室裡面的學生抓緊十分鐘下課時間，有些人跑到福利社買些零嘴飲料，有些人在走廊上聊天，有些人則趴在桌上睡覺。

謝雅淑則是默默走出教室門口，直接走到隔壁教室的後門，點了點坐在教室最後面的魏逸凡。

「幹嘛？」魏逸凡正看著英文課本，下一節要小考英文單字，現在惡補一下，看可不可以對個一兩題，少寫幾次罰寫。

「什麼怎麼辦？」

「如果你是我，你會怎麼辦？」

「昨天晚上我們練球的時候，李教練身邊不是站著一個陌生人嗎，他是靜美女中的總教練，他昨天邀請我參加靜美的籃球隊。」

魏逸凡有些驚訝，但看到謝雅淑煩惱的表情，很快便將驚訝的心情壓下去，「妳打算怎麼辦？」

「我就是不知道才來問你啊。」

魏逸凡點點頭，反正就算再怎麼惡補英文單字也一定背不起來，現在謝雅淑過來找他，正好給他絕佳的理由把課本蓋上。

「我之前的經驗跟妳比較不一樣，所以我現在也沒辦法給妳太多建議，不過如果妳想聽的話，我可以跟妳分享我之前遇到的事。」

「你說。」

「我之前跟校長打賭，如果我單挑輸給李光耀，就要留在光北高中，結果我真的輸了，就依照約定留下來，不過其實我還是很想回榮新，因為我覺得光北實在是一間很鳥的學校。但漸漸的我的想法改變了，因為我發現在光北能夠學到的竟然比榮新還多，在光北，隊友的實力差距很大，有的很強，有的很弱，而當你跟很強的隊友，或者是很弱的隊友一起上場的時候，打球的方式跟心態都要調整，這一點對我來說是很不一樣的，畢竟在榮新的時候每個人實力都很平均。」

謝雅淑發現魏逸凡不說話了，問：「就這樣？」

魏逸凡點頭，「對，就是這樣。」

謝雅淑面無表情地點點頭，「我知道了，謝謝。」

謝雅淑走回教室，坐在椅子上，手掌托著下巴，看向窗外。

學習啊，可是我根本沒辦法上場比賽，沒辦法像魏逸凡一樣，在與強弱不一的隊友聯手對抗敵隊時學習到任何東西，可是如果我到了靜美，就可以獲得很多上場機會，而且還有全額獎學金跟大學保障名額……

謝雅淑嘆了一口氣，麻雀啊麻雀，去靜美，是不是對自己比較好的選擇呢？

噹噹噹噹、噹噹噹噹……，下一節下課，謝雅淑走上樓去找楊真毅。

楊真毅看到謝雅淑從後門走進來，一副若有所思的模樣，馬上放下手上的商業書籍，「妳怎麼了？」

謝雅淑簡短地說明昨晚發生的事之後，直接問：「如果你是我，你會怎麼辦？」

楊真毅微微皺起眉頭，「我大概會像妳現在一樣，問別人的意見吧。」

「可是現在遇到問題的是我不是你，可不可以來點建設性的答案或建議？」

楊真毅看著謝雅淑的臉，沉默一會，「如果是我，大概會去靜美吧，縱使很捨不得光北，但應該會去靜美。」楊真毅停頓，又想了想，點點頭，「對，應該會去靜美。」

「為什麼？」

楊真毅嗯了一聲，「因為靜美開出的條件很好，對妳現在的幫助很大，對未來也有保障，而且我覺得靜美是一支很適合妳的球隊。」

「怎麼說？」

「因為如果靜美不適合妳，妳今天就不會這麼苦惱了，不是嗎？」

「所以你認為我應該去？」

楊真毅卻搖搖頭，「我沒這麼說，我剛剛說的是，如果是我，我應該會去靜美，但是我畢竟不是妳，或許妳的想法跟我不太一樣。」

「你說話好像繞口令，可不可以說得簡單一點？」

楊真毅露出笑容，難得看到謝雅淑如此煩惱的模樣，沒想到她也有可愛的一面。

「簡單說，這是妳的人生，妳該為自己做決定。」

回到教室後的謝雅淑，眉頭幾乎碰在一起，她覺得找魏逸凡跟楊真毅根本一點幫助都沒有，真是浪費時間。

難怪兩個人總是膩在一起，原來根本就是物以類聚，兩個白痴！

謝雅淑如同洩了氣的皮球，整個人癱在桌上，手指推著桌上的鉛筆，看著鉛筆來回滾動，「到底該怎麼辦啊？」

李明正雖然說可以找他談，但謝雅淑從未想過要問李明正的意見，因為李明正絕對會叫她去靜美，對她說靜美是最好的選擇。

其實謝雅淑也知道對自己來說，去靜美是一條非常好的路，但不知為什麼，謝雅淑完全不想離開光北，只要一想到要離開光北，她的心就好像出現一個巨大的黑洞，把她對籃球的正向情緒全都吸得一乾二淨。

謝雅淑重重嘆了一口氣，心裡浮現出一個人影，一個面對籃球時，只會露出開心笑容的人影。

「待會就去找他吧……」謝雅淑雙手放在桌上，撐起身體，準備上課，「找完他之後，就做決定吧。」

五十分鐘過後，下課鐘聲響起，而這個鐘聲代表著中午吃飯時間到了。

謝雅淑一點胃口都沒有，下課鐘聲響直接走下樓，走向一年級的教室大樓。

謝雅淑腳步很快，不到五分鐘的時間就走到位於二樓的教室。

「我記得他是讀一年五班。」謝雅淑看著教室門牌，走到一年五班的後門，探頭觀望，果然在教室後面找到自己想要找的人。

「李光耀。」謝雅淑直接走進一年五班，看著正大口大口扒著飯的李光耀。

李光耀驚訝地看著謝雅淑，嘴裡全都是飯菜，含糊不清地說：「幹嘛?妳怎麼會過來?」

「你出來一下。」吃飯時間，一年五班鬧哄哄一片，吵得謝雅淑更加心煩意亂。

「等我飯吃完，可以嗎?」李光耀很餓。

「不行，我要說的事很重要。」

李光耀聳聳肩，「好吧。」說完話，大口一張，一口氣把便當裡所有的飯全扒進嘴裡。

謝雅淑嘆了一口氣，「你的吃相怎麼可以這麼難看？」

李光耀怕一說話嘴裡的飯就會噴出來，雙手遮著嘴，大口大口地嚼著，陪謝雅淑走到教室外，把嘴裡的飯全吞了進去，抹抹滿是油光的嘴巴，「過來找我幹嘛？」

謝雅淑簡短地把事情說了一遍，用近乎求助的眼神看著李光耀，「你覺得我該怎麼辦？」

沒想到李光耀竟然露出無聊的表情，「就為了這個跑過來找我，真是的，這麼簡單的問題，想打球就去靜美，想變強就留在光北而已啊！」

謝雅淑沒想到李光耀這麼快就回答她的問題，而且語氣還是如此理所當然。

「為什麼？」

「簡單說，妳到靜美就可以上場打比賽，但是在光北，妳有一個隊友是全高中最強的籃球員，妳只要偷學到他一點打球的技巧，包準妳一定會變得更強。」

謝雅淑看著李光耀無比自信的臉，突然間大笑起來，「李光耀，有沒有人說過你真的很臭屁？」

李光耀搖搖食指，嘆了口氣，「這不是臭屁，是事實，為什麼我遇到的人，總是一直在逃避事實呢？」

謝雅淑笑得更大聲，轉身走向樓梯，「我知道了，回去吃你的便當吧。對了……」謝雅淑在樓梯前回頭，「你的嘴角有飯粒。」

★

「妳決定好了，確定嗎？其實妳可以多想想，才過一天而已，不需要這麼急著做決定，找父母談過了嗎？」李明正看著謝雅淑，溫言說道。

謝雅淑堅決地說：「教練，別擔心，我已經想好了，這就是我的決定。」

「是嗎，好吧。」李明正從口袋裡掏出手機，手指在螢幕上滑了滑，找到許達偉的電話，大姆指按下通話鍵之前，看了謝雅淑一眼，「在我打電話給他之前，可以告訴我為什麼做這個決定嗎？」

謝雅淑早就料到李明正會問這個問題，過來找李明正之前已經讓自己靜下來，好好釐清心裡諸多情緒，從書包裡拿出筆記本，花了好節課的時間用筆寫下最符合心裡想法的字句。

「教練，我不太會說話，但是我花了一點時間把想說的話寫在紙上，我拿著紙唸，你不介意吧？」

李明正搖搖頭。

於是謝雅淑從口袋裡拿出準備好的寫稿，輕咳幾聲，清清喉嚨，「教練，我決定留在光北。做這個決定並不是我覺得靜美不好，也不是我不想繼續往籃球這條路走下去，更不是我自視甚高認為靜美配不上我，而是我覺得光北還有太多我沒有學到的東西，如果我沒有把這些東西學完，我沒辦法原諒自己踏出光北的大門。

「教練，或許你會說，去靜美也可以學到東西，甚至可以學到『更多』東西，但是教練，我認為有很多東西是在光北學得到，但在靜美學不到的。而且這些只能在光北學的到的東西，除了增進我籃球各方面的能力之外，我認為會影響我一輩子，成為我人生最珍貴也是最重要的回憶，而這些東西是什麼呢……」

謝雅淑已經很久不曾一口氣說這麼多的話，喘口氣，吞了口口水，才又繼續說。

「第一，是光北籃球隊從無到有的過程。光北是今年剛創立的球隊，在設備、球員、資源，所有一切都比別人缺乏的情況下，我們現在竟然走到乙級聯賽的第三場比賽，而且我相信在教練的帶領與隊友的努力之下，光北一定可以走得更長遠，如果我現在加入已經是強隊的靜美，那麼我將沒辦法繼續在光北學習到如何克服一個又一個逆境，在抵抗所有不利因素之下還能保持比賽奪勝的堅強意志。

「第二，跟著球隊還有隊友一起成長。光北是一支非常不成熟的球隊，隊友的程度落差非常大，有的隊友強得不像人，有的隊友已經擁有甲級聯賽的實力，可是同時也有連球都不太會運的隊友。在光北打球的時候有一個很重要的重點，就是要把自己當成口香糖，擁有怎麼咬都不會爛的適應力。站上球場，隊友可能強，可能弱，但是比賽的時間在跑，不會等你，所以要在最短的時間內適應隊友，做出調整。而我相信如果我到了球員實力相對平均的靜美，將學習不到這種適應籃球場上瞬息萬變的能力。

「第三，勇敢並且正面面對質疑。光北是一間純升學性質的高中，所以創辦籃球隊的時候，我猜應該有受到學生家長的反對，只是校長跟教練都沒有讓我們知道而已。而我是一個女生，台灣社會對於女生打籃球，甚至加入籃球隊，比起男生來說會更多了一種質疑的態度，可是我相信光北現在的成績一定足以讓抗議的家長閉上嘴，而我也要跟光北一樣，用自己的表現讓質疑我的人閉嘴。可是如果我到了靜美的『女子』籃球隊，這些質疑的聲音會減少，這樣我就沒辦法把這些質疑當成前進的動力，把他們看到我的表現後閉上嘴的表情當成最棒的獎勵。」

謝雅淑又停了一會，這次李明正很貼心地拿紙杯倒了些水給她，謝雅淑感激地對李明正點頭，一口氣把水喝完。

「第四，增加對抗性與籃球智慧。誰都沒辦法否認男生的生理條件天生比女生好，或許上帝也是偏心的，一樣是專業訓練的運動員，但是男生的成績一定比女生好，而在籃球場上，生理的差距更是明顯，光北的隊友越來越強壯，跟他們打球時越來越吃力，為了不落後給他們，我必須讓自己變得更強壯，除此之外，還要不斷思考該怎麼調整打法來縮小身材上的差距。而這些是我到靜美『女子』籃球隊之後，絕對學不到的東西。

「第五，也是最後一點，光北裡面有一個球員說他自己是全高中最強的籃球員，不可否認的是他真的很強，而且他是男生，就算我跟他一樣努力練習，我也沒辦法擊敗他，可是每次一看到他，總是可以給予我動力，讓我持續為了全高中最強的女子籃球員的目標而更加努力。可是若轉學到靜美，就沒有一個強得像是怪物的隊友，用他本身的存在提醒我必須努力再努力，才有機會達到心中的目標。

「教練，請你幫我跟許達偉總教練說，如果他願意的話，我想要明年再轉學去靜美，到時候的我絕對會是全高中最強的女子球員，也一定會帶領靜美拿下冠軍！但是在這之前我要留在光北，跟著大家一起訓練，看著光北拿下冠軍。」

說完之後，謝雅淑長長地呼了一口氣，把心裡的話一口氣說完的感覺，竟是這麼的美好。

掃去了猶豫、煩悶、憂愁之後，謝雅淑心裡面充盈著自信，眼神散發著光芒，而看著謝雅淑的雙眼，李明正完全可以感受到謝雅淑的決心，點點頭，「我了解了，我會幫妳跟許總教練說。」

謝雅淑站起身來，對李明正躬身，「也請教練幫我對許總教練說聲謝謝，謝謝他看得起我，願意給我這個機會。」

「沒問題，掃地時間快結束了，妳趕快回教室準備上課吧。」

「好。」

看著謝雅淑離去，李明正按下螢幕上的停止鍵，其實剛剛在李明正問謝雅淑，「在我打電話給他之前，可以告訴我為什麼做這個決定嗎？」這個問題的時候，李明正並不是準備打電話給許達偉，而是開啟手機內建的錄音功能。

李明正播放錄音，把手機湊到耳前聽了一次，確定錄音的品質可以聽清楚謝雅淑所說的每一字每一句之後，把錄音檔傳給了許達偉。

不到五分鐘，許達偉馬上打電話給李明正。

「老實說，我沒想過她會拒絕我。」許偉達的語氣裡帶著濃濃的失望。

李明正輕笑一聲，「我也沒有。」

許達偉沉默一會，嘆了口氣，「你幫我跟她說，我願意等她。」

「好。」

「高中最強的女子籃球員啊。真是好大的口氣，不過說起來我也算是小看了她，她的想法真遠，本身的格局也比我想像中的大多了。」

「所以我說了，如果她是男生的話，一定是我的先發球員。」

「嘖，你有沒有覺得你是個運氣很好的人？怎麼這麼一個好球員不是來靜美，而是待在沒有女子籃球隊的光北呢？」

李明正笑了，「我的運氣一向都很不錯。」

「唉，本來想說有了謝雅淑，多少可以補三個主將離去的空缺，算了，這樣也好，就算謝雅淑過來，靜美今年也不可能得冠軍，只是浪費她一年的時間而已。如果留在光北訓練，或許就跟她說的一樣，學習到的東西會比在靜美多很多。」

「當然是這樣，畢竟光北有我。」

如果李明正是用視訊通話的話，一定可以看到電話另一頭的許達偉翻了一個大白眼，「第一眼見到你的時候，還以為你是什麼正經八百的人，原來那只是表面的模樣，骨子裡根本就是一個自信過剩的傢伙。」

「過獎過獎，哈哈哈。」

許達偉長嘆一口氣，「跟你說話可真是累人。算了，這樣，雅淑就拜託你了，請好好照顧與訓練我未來的主將。」

「放心吧。」

「對了，可不可以幫我問她一個問題。」

「什麼問題？」

「她缺不缺乾爹？」

第十一章

下午掃地時間，李光耀擦完玻璃，拿著寶特瓶到走廊上裝水，而且故意走到比較遠那一頭的飲水機，因為這樣會經過謝娜的教室，有那麼一點機會可以偷看到謝娜。

讓李光耀失望的是，謝娜並不在教室裡，他從教室後門探頭「偷看」了幾次，都沒看到謝娜的倩影。

李光耀裝完水，滿是失望地準備走回一年五班的時候，卻讓他看到一個很驚駭的景象。之前來找過她的劉晏媜，竟然走進一年五班。

「天啊，那女人想幹嘛？」李光耀有預感，劉晏媜絕對是來找他的，但李光耀並不想碰到她，便直接跑到走廊下的樓梯躲了起來，希望劉晏媜看到他不在教室之後就會馬上離開。

李光耀走下樓梯，到了一、二樓之間的小平台，趴在平台上看著掃地的人，一邊喝著水，嘴裡哼著小曲。今天李光耀的心情其實還不錯，因為明天又有比賽。

只要隔天有比賽，不管是什麼樣的比賽，李光耀前一天都會顯得特別開心與興奮。

「啦啦啦，啦啦啦啦啦，啦啦啦……」李光耀旁若無人地哼起歌，不自覺的將歌詞唱出來，而且還加上一些小改編。

「都一樣就是你給我的失戀稱謂，妳說的，我做的，原來通不過考驗，被你 KO 沒有怨言，都是我不對，可是告訴我，我該怎麼做才能不一樣？」

李光耀唱歌唱得興起，完全沒注意到從樓梯走上來的謝娜，而謝娜看到李光耀完全沒注意到她，更是不說話，放輕腳步，想趕快回到教室，而這個時候，二樓樓梯口卻有人破壞李光耀的即興演唱。

「李光耀，原來你在這裡！」劉晏媜認出李光耀的背影，快步走下樓梯，來到李光耀身邊。

「你在這裡幹嘛，難怪我剛剛去你教室找不到你。」劉晏媜自然而然勾住李光耀的手臂，說話時故意靠近李光耀。

李光耀感到全身不自在，掙脫劉晏媜的手，往後退了半步，「妳找我幹嘛？」

劉晏媜再次勾住李光耀的手臂，比剛才更靠近李光耀，露出迷人的笑容說：「我是啦啦隊的隊長，想要跟籃球隊的主將討論一些籃球隊的問題，不行嗎？」

李光耀想要掙脫劉晏媜的手，但這次劉晏媜抓得很緊，李光耀怕弄傷她纖細的手臂，只能任由她抓著自己。

「什麼啦啦隊，我們學校沒這個東西吧。」李光耀現在只希望上課鐘聲趕快響起，讓劉晏媜趕快離開。

劉晏媜搖搖頭，「這你就錯了，啦啦隊前幾天成立了，負責人還是籃球隊的助理教練，楊信哲老師。」

「真的假的？」李光耀半信半疑。

「你不信？不然我們現在去問楊老師。」劉晏媜雙手環著李光耀的手，就要拉李光耀一起走下樓，而就在這時候，劉晏媜看到了站在樓梯上的謝娜。

李光耀連忙說：「不用不用。」開玩笑，如果被大家看到劉晏媜這麼抱著自己的模樣，那還得了，被別人誤會沒關係，如果傳到謝娜耳裡被她誤會，那就真的問題大了！

劉晏媜勾著李光耀的手，用得意的眼神望向謝娜，身體幾乎貼在李光耀身上。李光耀想要往後退，但是身體已經靠在平台的牆壁上，沒有任何空間退後，「那個……可不可以請妳放開我？」

劉晏媜嬌嗔一聲，「為什麼？」心裡默想，你都不知道整個光北有多少男生想被我像這樣抱著，給你吃豆腐竟然還不要！

「因為如果被大家看到，大家亂說話，不太好……」李光耀再次試圖掙脫劉晏媜，但劉晏媜實在抱得太緊，而且劉晏媜把他的手臂整個抱在胸口，手臂只要一動，就一定會觸碰到劉晏媜胸前柔軟的地方，讓他左右為難。

「我不怕大家亂說話啊。」

「可是我怕啊。」李光耀苦笑，他現在的心情是寧願連續一百次起立蹲下，也不想再跟劉晏媜再講一句話。

「有什麼好怕？」劉晏媜心想，本姑娘都不怕了，你怕什麼。

「妳真的想知道？」

「說啊，沒關係。」

既然劉晏媜都這麼說，李光耀也只能將心裡的話說出來，「我怕有人亂說話，結果讓謝娜聽到。」

劉晏媜臉上的笑容瞬間消失，放開李光耀的手，「你就這麼喜歡她？」劉晏媜語氣變得很冷，「據我所知，她對你完全沒感覺，你還是喜歡她？」

李光耀毫不猶豫地點頭，「我喜歡她，跟她喜不喜歡我沒有任何關係，我就是喜歡她。」

「她哪裡比我好？為什麼你喜歡她，不喜歡我？」劉晏媜強忍住翻白眼的衝動。

李光耀很老實的說：「我不知道。」

「什麼你不知道，有這種答案嗎？你到底喜歡她什麼？」劉晏媜感覺心裡面有一把火在燒，她無法容忍謝娜在李光耀心目中的地位，竟然比她高出這麼多。或者應該說，她非常討厭自己輸給謝娜！

李光耀覺得劉晏媜問了一個比化學更難的問題。

李光耀深深皺起眉頭，手一下捏著眉心，一下摸下巴，一下按著額頭，最後還是說：「我真的不知道，我就是喜歡她，就跟我喜歡籃球一樣，不需要任何理由。」

「可是如果她永遠都不喜歡妳，你要怎麼辦？」

這個問題就簡單多了，李光耀對劉晏媜露出一個非常爽朗的微笑。

「我還有籃球。」

這一瞬間，李光耀臉上爽朗的笑容與直接、真誠又清澈的眼神，讓劉晏媜呆住了，而且心跳還漏了一拍。這聽起來是一個很簡單的答案，可是聽在劉晏媜耳裡，卻讓她有了非常深刻的感受。

劉晏媜看著李光耀，嘆了口氣，「好吧，我承認你跟我之前遇過的男生都不一樣。」

李光耀臉上馬上露出一如往常的自信，「妳在說什麼，我可是全高中最強的籃球員，怎麼可能跟妳之前遇過的男生一樣。」

劉晏媜深深看著李光耀，「不，你是白痴，像我這種美女對你投懷送抱，你竟然完全沒有開心的感覺。」劉晏媜輕笑一聲，「算了，這一回合，就算我輸了好了。」

噹噹噹噹、噹噹噹噹……，這時，李光耀渴望已久的上課鐘聲終於響起，劉晏媜說：「很可惜，上課了，我這個啦啦隊隊長下次會再來找你，主將。」離去之前，劉晏媜輕輕捏了一下李光耀的臉。

看著劉晏媜的背影離去，李光耀這才驚訝地發現謝娜就站在離自己不到五步的距離，而且看她那個樣子，好像已經站了一段時間。

「我剛剛說的話，妳都聽見了？」

謝娜輕哼一聲，手裡拿著藍色的垃圾桶，快步走上樓，連看都沒看李光耀一眼。

★

下午六點，楊信哲右手拿著光碟跟筆記本，左手提著便當，走到葉校長特地設置的教練辦公室。

楊信哲一開門，發現吳定華與李明正正在討論今天的練習內容，把手上的光碟與筆記本直接放在李明正與吳定華面前。

「這是明天比賽的對手，興華高中的資料。」

楊信哲拉開椅子，一屁股坐下，把便當從塑膠袋裡面拿出來，開始大快朵頤。

李明正看著楊信哲的吃相，皺起眉頭，「你有這麼餓？」

楊信哲抬起頭，嘴裡塞滿飯菜，指著便當，「這……這是我的午餐。」

「好好好，不打擾你，你趕快吃。」李明正做了一個請的手勢。

吳定華將光碟放進筆電裡，李明正則是翻開筆記本，找尋楊信哲的筆記，「在哪裡啊，怎麼找不到？」

楊信哲從李明正手中搶過筆記本，直接翻到寫滿興華資料那一頁，再把筆記本遞給李明正。

李明正看著筆記本上的標題，「沒有特色，卻可以贏球的球隊？」

「這是什麼意思？」李明正皺起眉頭。

楊信哲抬起頭正準備說話，卻因滿嘴食物一時吞不下去，竟然噎住了。李明正連忙把自己的茶遞過去。

楊信哲想也不想就把茶一口氣喝完，總算把食物吞進胃裡，長呼一口氣，用手背抹抹嘴角，「天啊，還以為要死了。」

楊信哲調整一下呼吸，「那個意思是，興華打球的方式沒什麼特色，不管是進攻或防守都是這樣。興華的球員實力非常平均而且接近，進攻端就是傳球跑位還有不斷單擋掩護，誰有空檔就傳給誰。興華沒有特別的進攻手段，也沒有進攻能力特別強的球員，防守則是採用二三區域聯防，防守圈縮的滿小。」

李明正一邊看楊信哲做的筆記，一邊看吳定華筆電螢幕上的球賽，「他們去年成績怎麼樣？」

「還不錯，第六名。」

「第六名，確實是不錯的成績。你覺得他們有什麼特別需要注意的地方嗎？」

「感覺上是一支不難對付的球隊，卻又不能這麼說。他們進攻的效率很高，防守也很有默契，雖然說不上很強，但又不能說是弱隊。沒有特別明顯的優點，也沒有特別明顯的缺點，找不到任何形容詞來形容的一支球隊。」

「嗯……」李明正專心看著筆電上的剪輯影片。

「你打算怎麼打？」吳定華問。

「再讓我看一下。」李明正聚精會神地看著影片，看了足足十分鐘之後才做出評論，「他們整隊的默契很好，跑位很順暢，單擋掩護也很漂亮，雖然沒有特別強的球員，可是靠著團隊默契，得分效率確實不低。防守的話也完全是靠球員的默契，中鋒不高，籃板球跟封阻的能力應該不怎麼樣，防守圈縮小，代表他們防守腳步應該不快，所以寧願放對手投外線。」

李明正雙手搓了搓，「他們的節奏不快，我們逼他們快，用全場壓破性防守對付他們。他們放我們投外線，我們就投外線，反正他們內線高度不高，就算投不進我們的內線也搶得到進攻籃板。」

李明正從椅子上站起來，把筆記本還給楊信哲，從抽屜裡拿出一包餅乾，遞給楊信哲，「多吃一點，如果真的撐不下去，我幫你去跟那個流氓說。」

楊信哲馬上拆開餅乾，最近事情真的太多，時間很不夠用，因此這次筆記的內容比較凌亂而且缺乏重點，而這並沒有逃過李明正的眼睛。

李明正伸了懶腰，看了手錶，六點三十分，而在距離籃球場不到一百公尺的教練辦公室內，已經可以聽到籃球的拍打聲。

李明正露出興奮的表情：「該來想想今天要怎麼操爆球員了。」

★

「我吃飽了。」謝娜放下筷子，拿起餐巾擦擦嘴巴。

站在一旁的福伯看到謝娜碗裡的飯還剩下一半，連平常最愛的湯都沒喝，微微皺起眉頭，擔心地問：

「小姐不滿意今天的飯菜嗎，需不需要我請廚師過來討論口味的問題？」

謝娜搖搖頭，「今天的飯菜我很喜歡，都很好吃。」

聽謝娜這麼說，福伯更擔心了，「那是不是小姐身體不太舒服，需不需要我請醫生過來？」

謝娜搖搖頭，站起身來，「沒有，我很好。對了，今天的小提琴課取消，我不想上。」

「是，小姐。」福伯馬上拿出手機，發了訊息給小提琴老師。

「福伯，等一下我想出去散散步，可不可以請你開車載我出去？」謝娜看著窗外，心思一片紛亂，而她甚至不知道為什麼心裡會有這種煩悶的情緒出現。

「沒問題，小姐。」

「謝謝，福伯你先吃飯吧，我上去休息一下，半個小時後出發。」

「是，小姐。」福伯對謝娜露出微微的笑意。

「福伯，下次我媽不在的時候，你就坐在我旁邊一起吃飯吧，我不喜歡吃飯的時候有人站在旁邊看著。」

福伯露出歉意的表情，「小姐，對不起，這是夫人的規定。」

謝娜輕嘆一口氣，「好吧。福伯，你先吃飯吧。」

「是，小姐。」

謝娜走上螺旋狀的樓梯，回到三十坪大的房間，脫下身上的制服，到衣櫃裡拿出輕便的衣服穿上，坐在梳妝台前，把自己的一頭長髮綁成馬尾。

謝娜坐在椅子上，覺得空氣很悶熱，就算房裡開了冷氣，謝娜還是覺得空氣中有股讓她煩悶的氣息。

謝娜站起身，拿起掛在牆上的琴盒，拉開拉鍊，拿出小提琴，靠在左邊臉頰，憑感覺調好音之後，開始拉她最喜歡的 *Debussy-Clair De Lune*（德布西〈月光〉），每一次她讀書讀累了，或者遇到什麼不開心的事情想讓自己心情平靜，就會拉這首曲子，但今天不知怎麼的，不管拉弦或按弦，甚至連小提琴本身的聲音都讓謝娜感到非常不滿意。

謝娜越拉越洩氣，最後甚至有股想把小提琴摔爛的衝動，但是想起這把小提琴六位數的價值，她還是乖乖地把小提琴收回琴盒裡。

謝娜嘆了一口氣，再一次坐到梳妝台前，雙手撐著下巴，看著鏡中的自己，突然起了雞皮疙瘩。

「好冷。」謝娜摸摸雙臂，這時她才突然明白，原來讓自己感到煩躁的，並不是炎熱的天氣。

謝娜再度嘆了一口氣，關掉冷氣，看著鏡子裡的自己，「為什麼？」

謝娜煩躁到坐也坐不住了，乾脆起身走下樓，看到福伯還在跟廚師一起大口大口地吃著飯，便轉身走向書房。謝娜拉開門，一股木頭的清香味隨即撲鼻而來，謝娜深深吸了一口氣，開了燈。

二十坪大小的書房的正中央擺著一台 Steinway（史坦威）鋼琴，兩邊的書架上則擺滿古今中外各個文學與哲學大家的巨作。

謝娜走向左方的書櫃，右手順勢摸了琴身一把，可惜她不會彈鋼琴，家裡會彈鋼琴的人是她媽媽。

書房裡，左邊擺的是西方與日本的文學大作，謝娜認真地看著書名，最後拿出科南・道爾爵士所著的《福爾摩斯・血紅色的研究》，翻了兩頁，又把書放回去。接著走到右邊，擺放中國古代、現代與台灣本土作家著作的書，手指在書脊上滑動著，拿出《談孫子哲學》，但只翻開第一頁就又放了回去。接著又挑了一本三毛寫的《哭泣的駱駝》不過看了前五頁之後，謝娜嘆了一口氣，把書放回去。

「小姐今天看起來心事重重啊。」

福伯的聲音讓謝娜嚇了一跳，「福伯，你怎麼會……，你吃飽了嗎？」

福伯露出和藹的笑容，「我剛剛瞄到書房的燈開了，所以過來看看。小姐妳等我一會，我去收拾一下，等一下備好車就可以出發了。」

福伯邁開大步，把自己的碗盤收拾完之後，對廚師交代一些事情，整理一下儀容，從鑰匙櫃裡拿出鑰匙，對謝娜說：「小姐，可以準備出發了，請妳在門口稍等我一下。」

「好。」謝娜穿上鮮紅色的慢跑鞋，推開門，聽到引擎發動的聲音。

福伯的動作很快，不到一分鐘就開車到謝娜眼前，謝娜拉開車門，坐在後座。

「請問小姐想要去哪裡散步？」

謝娜思考了一會，最後決定，「公園。」

「好的，小姐。」

福伯拿出手機，將手機裡面的音樂與車內的音響用藍芽連結，車裡頓時環繞著鋼琴的優美聲音，而且是謝娜最喜歡的德布西的〈月光〉。

「小姐，妳是不是有什麼煩惱？」在輕柔的音樂之下，福伯小心翼翼地問了這個問題。

「沒有。」謝娜簡短地回答。

福伯沒有再問任何一問題，讓溫和的鋼琴聲溫柔地溜進他與謝娜的耳中。謝娜專心看著窗外，心裡想著自己今天怎麼了，為什麼會一直無法專心。

可是當謝娜持續探究這個問題的答案時，一個人影默默浮上腦海，讓她感到更煩躁，眉頭都皺了起來，想要甩脫腦海中那個人影。

十五分鐘後，車子停了下來，福伯把車子穩穩地停進停車格裡，熄火，拔出鑰匙，「小姐，到了。」

「好。」謝娜打開車門，下了車，朝公園裡走去。

福伯很快走到謝娜身旁，安安靜靜地陪著謝娜。

謝娜漫無目的地在公園走著，而七點半這個時間點，公園裡聚集了很多人，有一群老人緩慢打著太極拳，有幾位大嬸配合音樂在跳著她不知道該怎麼形容的舞蹈，有爸爸媽媽帶小孩在草地上跑步玩玩具，有情侶牽著手緊靠著彼此在公園低聲細語，也有年輕男女穿著外套沿著公園的步道跑步，而在籃球場、羽球場裡面，也有人滿身大汗大聲吆喝著。

謝娜在公園裡緩慢走了半個小時，直到小腿傳來微微的痠麻感才找了張長椅坐下來休息。

福伯從側背包中拿出水，扭開瓶蓋，「小姐，喝點水。」

「謝謝。」

福伯在謝娜身邊坐下，提議道：「小姐，我們來玩一個遊戲好不好？」

「什麼遊戲？」

「猜猜樂。」福伯

「猜猜樂？那是什麼遊戲，沒聽過。」

「沒聽過沒關係，我講解給小姐聽。」

謝娜點點頭，「好。」

福伯從包包裡拿出另一瓶水，扭開瓶蓋，「遊戲規則很簡單，說出對方任何一件事，不管大事或小事都可以，只要說對了，對方就要喝一口水，如果說錯了，換自己喝一口水，很簡單吧，我先來。」

謝娜感覺這遊戲似乎滿有趣，就點頭答應。

「小姐最近便祕，好幾天沒有大便了。」

謝娜瞪大雙眼，臉上瞬間紅了起來，連耳朵都火燙燙的，「福伯你很討厭耶，幹嘛說這種事啦！」

福伯看著謝娜的表情，樂得哈哈大笑，「小姐的意思就是我說對囉，按照規則，喝一口水，然後換妳問我問題。」

不服輸的謝娜很快喝一口水，「福伯你今年六十五歲。」

福伯笑呵呵，喝了一口水，「小姐記性不錯呢，換我囉。」

「小姐最近收到的情書越來越多，而且內容越來越肉麻。」

謝娜的臉再次紅了起來，氣憤地說：「福伯你真的很討厭，怎麼可以偷看人家的信！」

福伯聳聳肩，「小姐的房間都是我在打掃的，妳把那些情書全部丟到垃圾桶裡，表示妳不要那些情書了，既然是不要的東西，怎麼能算是我偷看呢？而且我只是好奇現在小孩的文筆怎麼樣而已，沒想到令人大失所望啊，字寫的醜不說，還錯字連篇，真是讓人憂心。」

「吼，不公平！」說雖這麼說，謝娜還是喝了一口水。

「怎麼說不公平？」福柏笑呵呵地看著謝娜生氣的模樣。

「這個遊戲叫猜猜樂，可是我們剛剛說的都是早就已經知道的事情，這樣根本不算猜啊。」

「小姐這麼說有點道理，好吧，既然這個遊戲是我提出來的，那還是由我先猜，可以嗎？」

謝娜大方點頭，「好。」

福伯看著謝娜，露出一抹深不可測地笑容，「我猜小姐妳今天飯吃不下，小提琴課不想上，跑來公園散心，是因為一個人，而且這個人是男生。」

看著福伯睿智的雙眼，謝娜有那麼一瞬間覺得福伯能夠透過眼睛窺探到她的內心世界，在福伯面前，她是個什麼祕密都藏不了的小孩。

福伯看到謝娜愣了一下，心裡竊喜，沒想到自己真的猜對了，小姐果然是春花開，害了相思病了。

「而且說不定，我猜得到那個男生是誰哦。」

謝娜別過頭，不敢面對福伯的雙眼，看著遠方的路燈，在燈光下方依稀可以看到趨光性的昆蟲來回飛舞。

「小姐？」

「嗯。」

「我有沒有猜對？」

謝娜不說話，默默地喝了一口水。

福伯心裡樂得大笑三聲，但是看到謝娜神情不對，馬上關心道：「小姐，怎麼了？他做了什麼事，讓小姐妳這麼煩惱？」

謝娜搖搖頭，把水還給福伯，站起身來，繼續沿著步道散步。

謝娜花半個小時，又把公園走了一圈。

「我累了，回去吧。」

「是，小姐。」

謝娜與福伯兩人很快回到車上，一啟動引擎，優美的鋼琴聲再次響起，謝娜卻沒有興致聽，「福伯，我想安靜一下。」

「是，小姐。」福伯馬上把音樂關掉。

謝娜看著窗外的景象往後退，眉頭微微皺著，「福伯……」

「怎麼了，小姐？」

「你怎麼猜得到我在想什麼？」

福伯得意地呵呵笑了幾聲，「因為小姐妳今天一回到家就一副心事重重的模樣，飯吃不下，沒辦法專心，連小姐妳最喜歡的小提琴課都不想上，還難得想要出來走一走，既然身體沒生病，那就一定是心裡有疙瘩，而就我所知，小姐的成績還不錯，所以應該不是課業的問題，那麼就很好猜了啊，不是跟好姐妹吵架，就是有一個人在小姐心裡面轉啊轉的，讓小姐心煩意亂。就我六十五年的人生閱歷來看，讓小姐今天魂不守舍的原因，一定是後者。」

謝娜不說話，而福伯直接把謝娜的不說話當成默認。

「是上次那個男生吧，在公園打球、身材很好、長相帥氣、皮膚黝黑那一個。」

謝娜又不說話。

「小姐身邊的好姐妹知道嗎？」

「知道什麼？」

「知道小姐妳喜歡那個男生。」

謝娜篤定地說：「我沒有喜歡他。」

福伯臉色微微一變，「哦，那就是他在學校欺負小姐囉，難怪上次小姐妳不想遇到他。小姐，剛剛是我誤會了，我向您道歉，我今天就跟夫人……」

謝娜連忙說：「沒有，他沒有欺負我。」

「啊？」福伯突然間搞不懂是發生什麼事了，「那他到底做了什麼，讓小姐這麼煩惱？」

「他……他……他說了一些很奇怪的話。」

謝娜不知道該不該把李光耀的事說出來，畢竟一直以來她對李光耀的態度都一貫地冷漠，而在學校時也從來不提任何李光耀的事，她在班上比較好的同學也都認為她心裡一點都不在意李光耀，如果突然間聊到關於李光耀的事，謝娜擔心身邊的同學會亂說話，如果傳到李光耀耳裡讓他以為她喜歡他，那就糟了。

「什麼話？」

「他說……他喜歡我。」

福伯愣了一下，「小姐，妳就因為這樣整天心情不好？」

「嗯。」謝娜輕聲回應，雖然今天的情況很奇妙，但謝娜現在只是想有個抒發的對象，不然她覺得心裡悶著一股情緒的感覺太難受了。

福伯更不懂，「那有什麼好煩的？」

謝娜張開嘴巴，但心裡雜七雜八的想法跟情緒，卻無法透過任何一個文字表現出來，最後只說了：

「我……我不知道。」

聽到謝娜的回答，福伯突然哈哈大笑，「小姐，妳也太可愛了吧！」

謝娜噘起嘴，「有什麼好笑的？」

福伯忍住笑意，「小姐，我每天都會從妳房裡的垃圾桶整理出一大堆情書，那些男生對妳表白，妳有什麼感覺？」

謝娜理所當然地說：「沒有感覺。」

「為什麼沒有感覺？」

「因為我不喜歡他們，而且有人被我拒絕了還一直寫一直寫，搞得我都煩了。」謝娜忍不住抱怨。

「所以囉，事情已經很明顯了不是嗎？」

「什麼很明顯？」謝娜一時間轉不過來。

「小姐妳剛剛不是說了嗎，妳對那些情書沒有感覺，是因為妳不喜歡寫那些情書的男生，可是對於那個身材很好的男生，是因為妳對他……」

「不可能！」謝娜以她自己都驚訝的音量大聲否認，「我才沒有喜歡他！」

福伯嚇了一跳，但是當司機超過三十年的他並沒有讓車子失控，溫和地說：「小姐妳說妳不喜歡他，可是妳現在反應怎麼這麼大？」

「我……我……我……」謝娜靈光一閃，「因為福伯你亂說話！」

福伯輕笑幾聲，「小姐，妳真的很可愛。」

謝娜輕哼一聲。

福伯小心翼翼地開著車，過了一會，等謝娜心情平靜一些後，和藹地說：「小姐，世界上很多事情，妳可以騙得了別人，但是騙不了自己。今天呢，我就先相信妳根本不喜歡那個長的很帥，籃球打得好，身材超棒，長的又高，皮膚黝黑，超有男人味的男生。」

★

晚上九點半，光北籃球場。

經過李明正兩個半小時的魔鬼式訓練，現在籃球場上除了李明正與吳定華之外，已經沒有站著的人，就連體能最強的李光耀都盤腿坐在地上，拿著水猛灌，表情顯露出疲累，更別提其他體能不如他的人了。

今天李明正的訓練重點一樣放在防守，在前一個半小時就把球員操到話都說不太出來，而在接下來的快攻訓練，讓體能比較差的包大偉、詹傑成、王忠軍完全跟不上李明正要求的標準，體力耗盡，最後半個小時根本無力參與剩下的訓練。

而在最後半個小時當中，謝雅淑雖然苦苦撐著，但是在訓練結束前十分鐘雙腿抽筋，沒辦法撐到最後。麥克很想跟李光耀一起把所有的訓練完成，不過他在最後十分鐘忍不住跑到旁邊吐，把喝下去的水全部吐出來，吐完之後也無力繼續練習。

到李明正宣布訓練結束，只有李光耀、魏逸凡、楊真毅與高偉柏完整又紮實地完成每一項訓練。

李明正手裡拿著楊信哲的筆記本，而楊信哲本人因為這幾天過於操勞，精神跟體力已經到了極限，臉色蒼白，李明正覺得這樣下去會出問題，訓練開始沒多久就叫楊信哲先回家休息。

李明正走到球員面前，「今天的訓練非常紮實，也非常的累，相信各位都感覺的出來。明天晚上有比賽，我不希望你們疲勞過度，所以明天早上的練習取消，你們今天回家就好好休息，準備好明天的比賽。」

「是，教練。」因為太累，球員回答的音量完全不像平常那麼精神抖擻。

「明天比賽的對手是興華高中，他們隊史最好成績是季軍，去年則是第六名。他們的打法主要依靠球快速的傳導，藉由團隊默契找尋進攻機會，所以明天的防守一定要講話，內線跟後衛都是，讓你的隊友知道哪裡需要防守，哪裡需要幫忙。」

「是，教練。」

「興華沒有進攻能力特別突出的球員，可是他們每一個人都擁有一定的突破以及外線投射能力，尤其他們打球很穩，節奏很穩固，所以明天的重點是把他們的節奏打亂，比賽一開始就使用全場壓迫防守，如果被他們突破的話，趕快回防，別給他們機會打快攻。」

「是，教練。」

「進攻端，他們跟大容一樣，喜歡把防守圈縮得很小，幾乎不防守外圍三分線的攻勢，可是他們防守默契比大容好，內線的高度也比大容來的高一些，所以明天的比賽首先以外圍的攻勢為主，逼他們放大防守圈，之後在把進攻重心放到內線。」

「是，教練。」

「剛剛說的是陣地戰的部分，除此之外，如果採用全場壓迫性防守有快攻機會，不要放過，就算是少打多的情況，直接上，被蓋火鍋也沒關係，儘管去挑戰籃框就對了。」

「是，教練。」

「還有一個重點，籃板球。記得我們上一場怎麼贏的嗎，籃板球，把大容的中鋒逼下場之後，大容根本就搶不到籃板球，然後我們就掌控了整場比賽的節奏，明天也要這樣，每一個人都去拚搶籃板球，就我看來，興華內線高度不錯，但是搶籃板的能力跟我們比起來可能是從基隆輸到墾丁，所以盡力去搶籃板球，防守籃板一定掌握好，有機會也去搶進攻籃板，記住，只要比對手多搶一次進攻籃板，就等於我們比對手多一次進攻機會。」

「是，教練。」

「好，我要說的就只有這樣，有沒有其他的問題？」

高偉柏舉起手，「教練，如果我在內線接到球，他們防守圈還是縮得很小，但是我覺得我一定打的進去，這樣我可以硬打嗎？」

李明正看著高偉柏雙眼燃燒著自信，勾起嘴角，「你的意思是，你的外線不準嗎？」

「跟外線比起來，我覺得我強打禁區比較有機會得分，就算沒有投進，也可以賺到犯規。」

「有意思，有沒有人跟高偉柏有一樣的問題？」

李明正環視眾人一眼，發現沒有人舉手，把目光放回到高偉柏身上。

李明正心想，這小子真夠高傲的，不過這樣的高傲，倒不令人討厭。

李明正勾起笑意，目光中含有挑釁的意味，「目前我是希望以團隊為主，但如果你認為你強打禁區對球隊有幫助，我這方面當然沒問題。」

感受到李明正挑釁的目光，高偉柏拚盡全身最後一絲氣力，挺起胸腔，大聲喊道：「是，謝謝教練！」

（《最後一擊：傳奇2》完）

國家圖書館出版品預行編目資料

最後一擊：傳奇 / 冰如劍作 . -- 初版 . -- 臺北市 :
POPO 出版 : 家庭傳媒城邦分公司發行，2018.01,
冊 ; 公分 . --（PO 小說 ; 22-）
ISBN 978-986-95124-3-5（第 2 冊：平裝）

857.7 106022306

PO 小說 22

最後一擊：傳奇（2）

作　　者／冰如劍
責任編輯／黃琬凌　行銷業務／林政杰
主　　編／陳靜芬　版　　權／李婷雯
網站經理／劉皇佑

總 經 理／伍文翠
發 行 人／何飛鵬
法律顧問／元禾法律事務所　王子文律師
出　　版／城邦原創 POPO 出版　城邦原創股份有限公司
台北市中山區民生東路二段 141 號 6 樓
電話：(02) 2509-5506　傳真：(02) 2500-1933
POPO 原創市集網址：www.popo.tw　POPO 出版網址：publish.popo.tw
電子郵件信箱：pod_service@popo.tw
發　　行／英屬蓋曼群島商家庭傳媒股份有限公司城邦分公司
聯絡地址：台北市中山區民生東路二段 141 號 11 樓
書虫客服服務專線：(02) 25007718・(02) 25007719
24 小時傳真服務：(02) 25001990・(02) 25001991
服務時間：週一至週五 09:30-12:00・13:30-17:00
郵撥帳號：19863813　戶名：書虫股份有限公司
讀者服務信箱 email：service@readingclub.com.tw
城邦讀書花園網址：www.cite.com.tw
香港發行所／城邦（香港）出版集團有限公司
地址：香港灣仔駱克道 193 號東超商業中心 1 樓
email：hkcite@biznetvigator.com
電話：(852) 25086231　傳真：(852) 25789337
馬新發行所／城邦（馬新）出版集團 Cité(M)Sdn. Bhd.
41, Jalan Radin Anum, Bandar Baru Sri Petaling,
57000 Kuala Lumpur, Malaysia.
電話：(603) 90563833　傳真：(603) 90576622
Email：services@cite.my

封面插畫／唐尼宇
印　　刷／漾格科技股份有限公司
經 銷 商／聯合發行股份有限公司
電話：(02) 2917-8022　傳真：(02) 2911-0053

□ 2018年 1月初版　Printed in Taiwan.
□ 2023年 2月初版 1.3 刷

定價／ 260 元
 ISBN 978-986-95124-3-5